国家出版基金项目
NATIONAL PUBLICATION FOUNDATION

《三联经典文库》

第二辑

2012 年国家出版基金项目

三联经典文库

163

中国政治史讲话

钱亦石 著

生活·讀書·新知 三联书店

图书在版编目(CIP)数据

中国政治史讲话 / 钱亦石著. -- 北京：生活·读书·新知三联书店, 2014.1
（三联经典文库第二辑）
ISBN 978-7-108-04675-8

Ⅰ. ①中… Ⅱ. ①钱… Ⅲ. ①政治制度史－研究－中国－古代 Ⅳ. ①D691

中国版本图书馆CIP数据核字(2013)第246636号

163 中国政治史讲话

责任编辑 胡群英
封扉设计 蔡立国
责任印制 郝德华
出版发行 生活·讀書·新知 三联书店
(北京市东城区美术馆东街22号)
邮 编 100010
经 销 新华书店
印 刷 北京鹏润伟业印刷有限公司
版 次 2014年1月北京第1版 2014年1月北京第1次印刷
开 本 787毫米×1092毫米 1/32 印张 11.125
字 数 155千字
定 价 41.00元

《三联经典文库》出版缘起

适逢生活·读书·新知三联书店八十华诞，为弘扬传统，接续文脉，回报读者，服务社会，我们决定策划出版《三联经典文库》。

1932年7月，生活书店在上海创办，此后，读书出版社和新知书店相继成立。本文库第一辑、第二辑所选图书，来自于这三家出版单位及其分支机构，以及1948年生活·读书·新知三联书店成立后的出版物，始于1932年，截至1951年，两辑各一百种。此为第二辑，涉及政治、经济、社会、军事、思想文化诸领域，涵盖专著、文集、散文、小说、诗歌、传记、报道等体裁，既有直面现实、追求真理、讴歌真善美、抨击假恶丑的原创作品，又有引介世界各国先进文化、传播新知、开启民智的迻译之作，真实记录了那一代知识分子的思考与探索、理想与愿景和对中华民族文化传承与创新所做出的努力与贡献。

本文库所辑入各书，多为名家名作，在版本方面，以初版一印本或经著译编者审定、修订、增订过的版本为首选，因此本文库又具有较为珍贵的版本价值和收藏价值。

本文库还将编选续辑，使之成为恢弘文化工程。诚挚希望读者给予批评和指正，帮助我们完善编选工作，再现三联经典作品之风采。殊为遗憾的是，由于年代久远，一些原著译编者及其后人未能取得联系并奉付稿酬，诚盼版权所有者与我们联系。祈愿三联前辈所创造的精神财富能薪火相传，为中华文化的伟大复兴增光添彩。

《三联经典文库》编辑委员会

2013 年 8 月

凡　例

一、本文库为重排本，由繁体字竖排版改为简体字横排版。

一、以忠实于原作、整旧如旧为编辑原则，对当时使用的专有名词、外文译名，以及民国时期的语言和特色予以保留。

一、原书注释如旧，编者所出的注释，均以“编者注”标明，以示与原书注释的区别。

一、对原书残缺或字迹漫漶之处，以□示代。

一、对繁简文本转换时的“如右”、“见左”一类，对应改为“如上（前）”、“见下（后）”。

一、对原书中各种错讹脱衍之处，直接订正，不再以其他符号标示。

一、对数字、标点符号的用法，在不损害原文语义的情况下，做必要的规范。

一、本文库各书均前插原书书影、原书版权页和文库版“本书出版说明”。

一、本书出版说明的撰写，以客观中立为原则，扼要介绍本书的内容、版本流转、著译编者的情况。

本书出版说明

本书是钱亦石先生未完成的遗著，运用马列主义基本原理联系中国历史，创新地从经济构造、政治制度、意识形态三方面探讨中国政治史。全书只从史前时期讲到隋唐，共六章，除绪论外，其余五章按政治制度划分，即无政治制度时期、氏族政治制度时期、封建政治制度时期（一）（二）（三）。它填补了当时缺乏好的中国政治史读物的空白。

本书由重庆生活书店初版于1939年4月，1947年7月于上海再版。此次出版，即以初版为底本。

钱亦石（1889-1938），原名定城，字介磐，笔名史庐、谷荪、石颠等，湖北咸宁人。1920年毕业于武昌高师。之后从事教育工作，参与创办学校，并开始接受马克思主义，1924年入党，是共产党湖北党部的早期创始人，主要负责湖北省临时党部宣传工作，主办《武汉时评》，并常以石颠为笔名发表时评。1928年从日本转往苏联，被分配到中国劳动者共产主义中山大学特别班学习。1930年回国之后，进行了大量翻译著述工作。1932年起，被上海法政学院和暨南大学聘为教授，主讲《中国外交史》、《现代教育原理》、《近代世界政治史》、《中国近代经济史》等课程。其编著的讲义以及专著先后由进步书店出版。之外，编写了《世界发明家列传》、《世界思想家列传》、《中国怎样降到半殖民地》等，先后参与编辑或主编《新中华》、《世界知识》、《中华公论》、《辞海》、《中国的一日》丛书等杂志和书籍。1937年7月7日卢沟桥事变后，钱亦石全力以赴投入到抗日救亡运动。“八·一三事变”之后，带领战地服务队奔赴浦东前线，进行宣传和慰问，终因劳累成疾，于1938年病逝。

生活·读书·新知三联书店

2013年8月

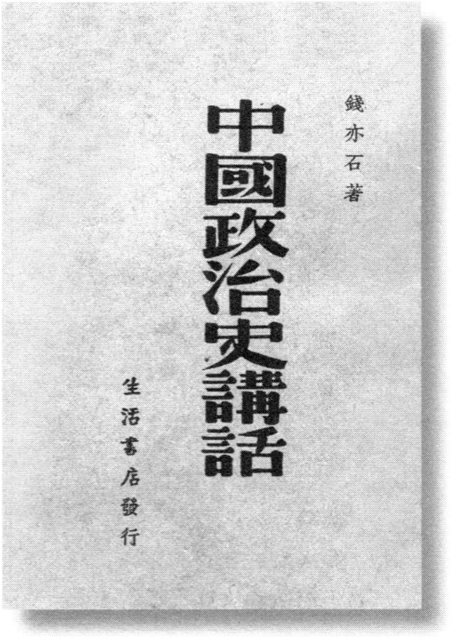

生活书店 1939 年 4 月初版书影

中國政治史講話

每冊實價國幣玖角
外埠酌加寄費

著者 錢亦石

發行者 生活書店

重慶：武庫街二十一號
香港：大道中一七五號
西安：馬坊門二十五號
桂林：中南路一〇一號
長沙 昆明 衡陽 南昌 常德 臨川 百色
成都 蘭州 吉安 上海 沅陵 南平 迪化
梧州 宜昌 天水 金華 柳州 福州 巴東
貴陽 萬縣 南鄭 麗水 南寧 桂平 嘉定

印刷者 生活印刷所

中華民國二十八年四月初版(S)

總0531

原书版权页

目次

序　言

在我们这次对日本帝国主义强盗的抗战中间，牺牲得最光荣的，要算钱亦石先生。自“八·一三”沪滨的烽火燃起以后，大家都知道战区宣传与组织工作的重要，但是一般说这话仍只是从“理论”上出发，而实际行动的还是很少。亦石先生首先放下笔杆，组织战地服务队，到张发奎将军所指挥下的沪杭线去工作。他的这种“从理论到实践”的精神，当时给上海文化界的影响很大。此后有好多的人，都受他的感动，不怕辛苦，不怕困难，成立或加入宣传队，工作队之类的组织到内地去服务了。在工作中，亦石因劳碌过度，首染疟疾，一同工作的朋友，都劝他休息，但他仍力疾工作，以致病情加重，由疟疾而转成伤寒症。自敌人从金山卫迂回登陆徼倖成功后，形势吃紧，他才由前线抱病回到上海租界里面来，在他刚进法租界后不到一个钟头，敌兵就到了他入口的那个地方。一九三八年一月底，因医药无效，他便离开自己的正在斗争中的祖国而逝世了！所以，亦石先生的为民族解放而牺牲的精神实在是值得我们学习的。

亦石先生不仅是个“实践家”，他对于革命理论，也很有研究。他的国文程度，造诣很深。他的文笔流利，生动有趣。不论怎样一个题目，在他的笔下，都由浅入深，写得津津有味。同时，他的观察，也十分深刻，他对于每个问题，他都分析得很精到。所以，他的著作，很受广大青年的欢迎。

亦石先生的著作很多。在他去世以后，朋友们为纪念他起见，计划把他的译著，加以整理，出一全集，只因战时印刷困难，这一计划，未能顺利执行。

本书是他的未发表的遗著之一。关于中国政治史，直到现在还没有一本很好的读物。亦石先生的此著，正好可以补这个空白。所以决定先把它出版单行本，以飨读者。很可惜的，他没有写完，便告绝笔了！以此说来，亦石先生的逝世，也是中国学术界的一大损失。

张仲实

一九三八年九月一日于汉口

第一章　绪论

第一节　政治史的意义

何谓政治?

政治本是一个极时髦的名词，有些人开口“政治活动”，闭口“政治工作”，把我们的耳朵都闹聋了。可是，要解释政治二字的内容，却不是三言两语能够说清楚的。记得我国有一句老话，“政者正也，所以正人之不正也”。把这句话稍为咬嚼一下，便知道内面含有“强制”之意。如以为这句话太笼统了，不妨再举一个例证吧!

陈豹隐在其所编的《新政治学》一书中，指出:“政治是人类关于强制权力的生活。”什么是强制权力呢?他说:“权力这东西，从科学上说来，是由两种要素构成的：（一）积极的要素，即可以供强制别人之用的武力。（二）消极的要素，即被社会承认的那种可以当做权力通用的效力。”最后说到：“人类关于这种强制权力的生活，叫做政治生活。政治就是政治生活或政治生活现象的缩短语。”（《新政治学》三——六页）

然而问题的核心，不在“是否强制”，“如何强制”，而是在于“谁强制谁”。因为政治本是某一部分人强制某一部分人的武器，并不是超越一切，驾驭一切的东西。要了解“谁强制谁”的问题，就必须先说明人类社会生活的全景。兹引《〈政治经济学批评〉（*Zur Kritik der Politische Oekonomie*）序言》中之一段于下作为说明的论据。

> 人类在其生存的社会生产上，加进一定的必然的与其意志无关的一些关系——生产关系。这些生产关系与其物质生产力发展之一定的阶段相适应。这些生产关系的总和，形成社会的经济构造——真实基础；在这基础上建立法律的政治的上层建筑，而一定的社会意识

形态，也是适应这基础的。物质生活的生产方法，决定社会的政治的精神的生活过程之一般的性质……

我们在这一段有名的公式中，可以看出人类社会生活的全景。即是说，包罗万象的社会生活，由两大部分合成，一部分为下层基础，另一部分为上层建筑。所谓“政治生活”不过是上层建筑中之一种，而为生产关系所决定的东西。兹为明了起见，再列一图表于下：

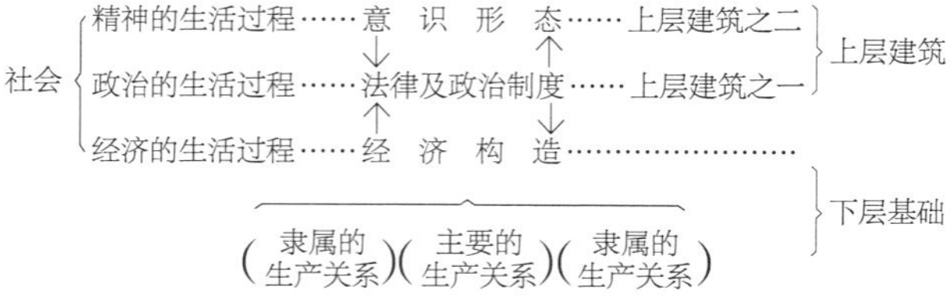

按照图表的指示，看出社会之经济的，政治的，精神的各种现象，以及人类在社会里面之经济的，政治的，精神的各种生活过程，决不是各不相关，而是有“相互影响”的。法律及政治制度必然为经济构造所决定；社会意识形态不但为经济构造所决定，并且为法律及政治

制度所决定。所以，一为上层建筑之一，一为上层建筑之二。反过来说，上层建筑虽然在下层基础影响之下发生与发展，但也能影响到基础本身；这即是说，上层建筑之二对于其决定者上层建筑之一与经济构造，上层建筑之一对于其决定者经济构造，都有反作用的力量。错综复杂的社会生活，原来是如此息息相关的。

说到这里，便可回答前面提出来的问题了，究竟在政治生活中是“谁强制谁”呢？政治生活既为社会的经济构造——生产关系的总和所决定，生产关系即是人与人的关系，换言之，即是阶级的关系，所以政治是有阶级性的，政治生活中“谁强制谁”的问题，一言以蔽之，即是支配阶级强制被支配阶级的问题。

我们纵览了社会生活的全景以后，我们解答了“谁强制谁”的问题以后，则“何谓政治”一问题，便了如指掌了。

何谓政治呢？我们的答案是：

政治是一种上层建筑，立于人类生产关系所形成的经济构造之上，对于经济构造与意识形态起“相互影响”的作用，而为支配阶级强制被支配阶级的武器。

何谓政治史？

要想解答政治史，必先解答何谓史？

史是什么？有人说：史是事实的宝库。这是十分庸俗的见解，这种说法，无异把史看成“死事实”的陈列所。

我们不应该把史看成固定事实之总和，而应该看成过程之总和；在过程中，表面看来，似乎是累积的事实，然而却经过形成与消灭之不断变化的。所以，《论费尔巴哈与德国古典哲学的末日》一书上说：

> 历史中一切相连续而来的社会制度，也不过是人类历史进化和进步的进程中一些阶梯而已。每种制度对于它所由产生的时代和环境，都是必需的，因此都是正当合法的，纵然在从它自己内部慢慢发展起来的新的更高的条件面前，它变成了陈腐并失去其存在的理由，它必须让位给另一个更高的社会制度，而这一新制度也预先注定必要死亡。

史的概念便是如此。

然则何谓政治史呢？政治史是一种科学。凡是科学都在于从五花八门的现象中探求其因果关系的定律。所以，政治史不是别的东西，无非是一种“研究政治生活发展的过程，从支配阶级与被支配阶级五花八门的政治争斗中，探求其因果关系的定律之科学”。

然而以历史家著名的何炳松，则谓“探求定律非历史家之责”，他说：

> 夫人类之特异生活，日新月异，变化无穷。故凡属前言往行，莫不此往彼来，新陈代谢，此历史上所以不能有所谓定律也。盖定律以通概为本，通概以重复为基。已往人事，既无复现之情，古今状况，又无一辙之理。通概难施，何来定律乎？（何炳松著《历史研究法·绪论》第二页）

这是一种可笑的见解，无异说，历史不是科学，而是一种“黑漆一团”的东西。

政治史有无因果关系的定律呢？有的。再从《〈政治经济学批评〉序言》中引一段为证。

> 社会之物质生产力，发展到一定的阶段，便知现在的生产关系（用法律的术语说，就是财产关系）发生冲突，从前，生产力是在这关系内部发展的。而现在这些生产关系由帮助生产力发展的形态，变为生产力之桎梏了。于是社会的革命时期到来。经济基础一有变动，巨大的上层建筑便随之而缓慢的或急剧的变革。

我们从这一段话中，又可看出社会变革的动力是生产力。由于生产力不断的发展，引起生产力与生产关系的冲突，引起经济基础的变动，引起上层建筑——政治包括在内——的变革。因果关系，非常显明。这不是一部政治史发展的定律是什么？我们认识政治变革的定律以后，可以有科学的根据，预知政治现象，预知政治发展的道路，且能够影响这一方面的发展。所以，政治史无疑的是一种科学，而“历史家之责便是探求定律”。

我们研究政治生活发展的过程，应该从分析生产力出发，即是说，应该从分析劳动工具出发。人是制造工具之群居的动物，劳动工具的系统，即社会技术的系统。由社会技术的系统，决定人类相互间生产关系的系统，换言之，即由物质的生产力决定人与人之间的生产关系。在这些经济基础上，形成上层建筑。所以，“手工磨机给我们以封建王公统治的社会，而蒸汽磨机则给我们以工业资本家统治的社会”（《哲学之贫困》）。劳动工具恰如发动机一样，把人类历史的车轮一步一步的推往前进。如果在前面图表上再指出历史发展的动力，那就应该补充如下：

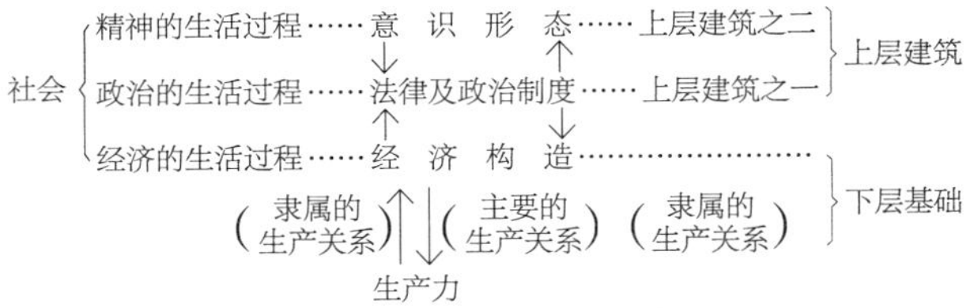

我们研究政治史，就是要了解历史过程上支配阶级与被支配阶级在政治争斗中的因果关系之定律，尤其是要认识政治变革的原动力是什么。

第二节　政治史的范围

政治制度之静的方面与动的方面

我们在上节，已经说明了政治史的意义，即是说：政治史不是别的东西，而是一种研究政治生活发展的过程，从支配阶级与被支配阶级五花八门的政治争斗中，探求其因果关系的定律之科学。换言之，从静的方面讲，要了解某时期政治制度（包括法律制度在内）的形式；从动的方面讲，要了解各时期政治制度的变革，并且在这些政治制度的形式与政治制度的变革之中，把其因果关系的定律作相当的阐明。

因此，政治史的范围，主要的自然是在静的与动的两方面去分析政治制度。本来，政治制度是人类社会内部有了阶级分化以后的产物，即是说：支配阶级需要一种政治权力以控制被支配阶级时，政治制度才正式成立。所以，政治制度就是一种权力制度，政治生活就是一种权力生活。更具体的说，所谓政治生活发展的过程，就是行使政治权者与服从政治权者争斗的过程。在这种意义之下，我们可以说：政治史的中心问题，就是在阶级对立的社会里，阐明其政权的性质，阐明其政权所代表利益是什么，阐明在这种政权控制之下被统治的是那一部分人。这是政治史范围内主要的领域。

政治与经济构造

然而政治制度，不是像“陨石”或“陨铁”一样，从天上掉下来的，而是现实社会之产物。我们在前面已引证过“这些生产关系的总和，形成社会的经济构造——真实基础；在这基础上建立法律的政治的上层建筑。……物质生活的生产方法，决定……政治的……生活过程之一般的性质”。又引证过“经济基础一有变动，巨大的上层建筑便随之而缓慢的或急剧的变革”。前一个引证是说明政治制度的形式由经济基础决定，后一个引证是说明政治制度的变革也是由经济基础决定。所以，政治生活恰是经济生活之产物，政治制度恰是经济构造之产物。所以，我们分析政治制度——无论从静的方面或动的方面——不能把经济基础丢掉不管。正相反，要从经济关系上去阐明某种政治制度成立的原因，要从经济关系上去阐明某种政治制度变革的酵素。

如果离开经济关系而言政治，那只是一种空想，一种玄谈。因此经济构造便形成了政治史范围内之一部分，我们可称为政治的基础。

政治与意识形态

同时，我们知道社会生活极其错综复杂，于是有所谓“相互影响”之说。在前方面已引证过“一定的社会意识形态，也是适应这基础的”，并且略加解释，认为“意识形态不但为经济构造所决定，并且为法律及政治制度所决定。……上层建筑虽然在下层基础影响之下发生与发展，但也能影响到基础本身；这即是说，上层建筑之二对于其决定者上层建筑之一与经济构造……都有反作用的力量”。这种解释，自然不是武断。姑举一二论据于下：

> 我们所认为思想上的见解，转而反应到经济基础，并于相当限度之内可以改变这个基础。——一八九〇年十月二十七日恩格斯给Coras Schmidt的信。

某一国家之政治制度，为什么所决定呢？我们已经知道政治制度是反映经济关系的。但这些反映经济的政治制度要能实现，必须先以某种观念形式经过人的头脑。所以，人类不先在其观念上发生转变，就不能经过经济上的转变。——普列哈诺夫《二十年》

依照这些论据看来，政治制度可以决定意识形态，而意识形态亦可以影响政治制度。那么，要了解政治制度的成立与变革，就不能把意识置之度外了。因此，意识形态也成了政治史范围内之一部分，我们可称为政治的反映。

总括起来，政治史的范围有三：

（一）政治的基础——经济构造。

（二）政治的本身——政治制度。

（三）政治的反映——意识形态。

这三方面——政治的基础，政治的本身，政治的反映——形成整个的解不开的连环，我们不能任意分割。所谓政治史，便是这一连环内不断的变迁，即是说不断的矛盾之发展。我们要研究政治史，要研究中国政治史，不可不用科学的望远镜，在这三方面的领域内全部窥探一下。如果窥探范围仅限于政治制度的本身，而遗弃经济构造与意识形态，仿佛是“砍头去尾”，所获得的只有残缺不全的躯干而已。

第三节　中国政治史及其分期

分期的意义

中国本是现代世界上一块“神秘的国土”，关于中国历史上的问题，更其是“神秘的神秘”；中国政治史是全部历史中之一部分，要揭穿里面的神秘，须借用二十世纪科学之光，方能有效。因为中国政治史的真相，被“十口相传”的传说，后人伪造的古书，以及近来受了些科学洗礼的东西洋博士之穿凿附会，弄得一塌糊涂，好像成了一座“迷宫”，使有志问津的人如堕五里雾中，无从着手。

中国政治史自然是和西方各国的政治史一样，是支配阶级与被支配阶级的一部政治斗争的纪录。这一种亘数千年绵延不绝的争斗，不待说，本是经济构造的反映，同时又受意识形态的影响。而经济结构与意识形态的变迁，又是由于生产力与生产关系矛盾的发展。所以，要了解中国政治史，不得不站在生产力与生产关系的基础上，作有系统的叙述。但叙述亘数千年绵延不绝的历史，为清醒眉目起见，又不得不作人为的分期，好像在平沙万里的荒漠中，竖起几个大的计程碑（Milestone）来。

中国社会史分期的论战

中国政治史的分期，与中国社会史的分期，无原则上之差别。所以，在说明中国政治史分期之前，必先说明中国社会发展所经过的阶段。

两三年来，关于中国社会史的论战，差不多达到空前未有的热度，可惜对于中国社会史的分期仍未得出一致的结论来。兹介绍几种较有系统的意见于下：

（一）熊得山以为："在神农以前，可叫做原始共产社会。在神农以后的至陶唐止，可叫做村落共产社会。封建社会大概是发轫于夏代，至周初算是繁荣到极端，其命运亦于周末衰歇。秦始皇统一六国之后，代表土地资本的余孽，仍咄咄逼人，汉代大封同姓，唐代藩镇专权，以至元代的省道，明代的藩封，清代的总督，民国的督军，无一不是变相的封建诸侯。所以，中国近代社会仍是封建社会。自帝国主义势力侵入中国以后，土地资本开始崩溃，发生了不少的新兴工商业者。但因帝国主义者的扼制，不独国家资本不能建设，即个人资本亦无从谈起。”（《中国社会史研究》二〇九——二二三页）

（二）周谷城以为：“自邃古以至周初为封建之成长期；自秦以后，至于清末为封建之消灭期。自周初至于秦初，可以算是一个封建时代。”（《中国社会之结构》四六页）

（三）陶希圣以为：“依社会史观察，则中国封建制度的崩溃，实开始于纪元前五世纪（约在东周时代——编者注）而直至今日，中国的主要生产方法还不是资本主义。后六世纪（约在元代至现在——编者注）则货币经济始显然抬头。虽自然经济与货币经济有所交替于其间，而社会构造的本质仍没有根本的差异。此二千五百年的中国，由封建制度言，是后封建时期；由资本主义言，是前资本主义社会。”(《中国社会与中国革命》一九五页)(近来，陶希圣的意见已有修改，详见《当代论坛》第六期《中国社会形式发达过程的估定》一文。)

以上三种意见，有一个大致相同的地方，就是认为中国从夏初起，不，从邃古起，即已进入封建社会，一直到现在为止，仍未能跳出封建势力的范围。封建这个怪物，在中国历史上，盘据这样长久的时期，似乎这一点就是中国历史的特色。(但王宜昌却为例外，以为中国封建社会始于五胡十六国。)

(四)郭沫若“自称坐起飞机把中国三千年的历史展望了一次”，以为中国社会的历史阶段，可归纳成下面一个公式(《中国古代社会研究》二三页)：

<table>
<tr><th>(时代)</th><th>(社会形态)</th><th>(组织成分)</th><th>(阶级性)</th></tr>
<tr><td>(1)西周以前</td><td>原始共产制……</td><td>氏族社会……</td><td>无阶级</td></tr>
<tr><td>(2)西周时代</td><td>奴隶制</td><td>王侯百姓(贵族)
庶民臣仆(奴隶)</td><td rowspan="2">身份的阶级</td></tr>
<tr><td>(3)春秋之后</td><td>封建制</td><td>官僚——人民
地主——农民
师傅——徒弟</td></tr>
<tr><td>(4)最近百年</td><td>资本制</td><td>帝国主义——弱小民族
资本家——无产者</td><td>最后形态的
阶级对立</td></tr>
</table>

（五）杨东莼以为："由黄帝至尧舜这个时代为氏族的公产社会。夏商是奴隶制的国家。真正封建制的国家实始于周代。秦灭六国，封建制度在形式上归于消灭，实质的封建制度——或者说封建势力（陶希圣也有这种意见——编者注）——却依然存在。中国封建制度在资本帝国主义侵入以后，才发生根本的动摇，且因此产生资本家与工人对立的关系。今日的中国社会形态，便不纯粹是资本制的，而封建制的地主与农夫对立关系以及师傅徒弟对立关系，依然占重要的地位，不过从大体上来说，中国的社会形态已经进到资本制了。"（《本国文化史大纲》一一二——一一五页）

（六）李季自称"按照中国全部经济发展的情形，以生产方法为标准"，划分各个时代如下（对于中国社会史论战的贡献与批评——见《读书杂志》之《中国社会史的论战　第二辑》）：

（1）自商以前至商末为原始共产主义的生产方法时代（至纪元前一四〇二年止）。

（2）自殷至殷末为亚细亚的生产方法时代（纪元前一四〇一年起至一一五年止）。

（3）自周至周末为封建的生产方法时代（纪元前一一三四年起至二四七年止）。

（4）自秦至清鸦片战争前为前资本主义的生产方法时代（纪元前二四六年起至纪元后一八三九年止）。

（5）自鸦片战争至现在为资本主义的生产方法时代（一八四〇年起）。

这三个人的意见，似乎比前面三个人（熊得山，周谷城，陶希圣）要俏皮些。他们也有一个大致相同的地方，即都以下面这个公式为划分时期的出发点：

> 就大体讲：亚细亚的，古代的，封建的和近世资产阶级的生产方法，可以称为经济的社会结构相续的时代。(《〈政治经济学批评〉序言》

而他们不同之处，就是郭沫若一口咬定谓“亚细亚的生产方法”即原始共产制，“古代的生产方法”即奴隶制。杨东莼似乎是窃取郭沫若意见之人，完全抄写郭沫若的公式，不过把年代变更了一下。李季遵照普列哈诺夫的解释，认为亚细亚的与古代的生产方法，是两个同时并存的经济发展模型，将亚细亚的生产方法连续于原始共产之后，而把奴隶制删去。

我的意见与郭沫若，杨东莼不同，因为我不相信中国历史上有一个奴隶社会阶段（当然不是否认某些时期有奴隶存在过），我的意见也与李季不同：第一，我认为无所谓特殊的亚细亚的生产方法（详见杜博洛夫斯基《亚细亚生产方式，封建制度，农奴制度及商业资本之本质问题》第二章）；第二，我认为前资本主义亦无所谓独立的生产方法，所以，都不能构成一个独立的时代。他们三个人都以中国社会目前已进到资本制，我则期期以为不可，因为中国经济结构中虽有资本主义成分，但就一般说来，还不是正式的资本主义生产方法时代。

现在已临到我自己发挥正面的意见的时候了，我以为古代社会的著者莫尔根（Morgan）发现氏族社会，其意义约与生物学上细胞的发现相等，什么是氏族社会呢？用不着我饶舌，氏族社会研究专家考瓦列夫斯基已说过：

> 氏族社会在本质上是以氏族为单位的一种社会组织，是原始共产社会崩溃之后，生产经济代替了采集经济的一种新的社会形式。

依照这种论据，我们必须把氏族社会看成社会发展史上一个独立的时期，因此，中国社会史也没有什么例外，其分期的顺序应该是这样：

（一）原始共产社会——伏羲以前。

（二）氏族社会——从伏羲到殷末。

（三）封建社会——从西周到清代鸦片战争。

（四）帝国主义统治下的半封建社会——从鸦片战争到现在。

中国政治史的分期

中国社会史的分期问题，既解答如上，那么，在这样总轮廓之上，再讨论中国政治史的分期，便迎刃而解了。我认为中国政治史可以分为下面几个时期：

（一）伏羲以前为无政治制度时期。

（二）伏羲到殷末为氏族政治制度时期。

（三）西周到清代鸦片战争为封建政治制度时期。

（四）鸦片战争到现在为帝国主义支配中国政治时期。

这不过是一个约略的划分，各时期之间并无显明的界限，如用刀切断的一样。为什么如此？第一，因为纯粹社会，无论何时是没有的，社会发展到了较高的阶段，仍保持着过去的残余；其次，因为一个新制度是从旧制度里面孕育出来的，新旧递嬗之间，并无鸿沟隔绝；所以，前一阶段与后一阶段，其中实有不断的线索。上面人为的分期，无非取便研究而已。

第四节　研究中国政治史的方法

中国旧史书，大抵详于政治，一部《廿四史》之中，大部分是政治史。可是要在这些“汗牛充栋”的故纸笔中，寻出一个条理井然的系统，差不多比沙里淘金还难些。然而淘金必须有淘金的方法，想在古史的荒丘中，淘出一点光辉灿然的金屑，首先便要注意所谓方法论。倘或方法论不正确，即使下笔千言，也许离题万里。我国文人以其毕生之岁月，葬送在古史的荒丘中，而一无所得者，真不知有多少呵！这自然不是他们之中没有良史材料，不过有良史而无好方法，总是徒劳无功的。

旧历史家的方法

劈头要指出的是：老牌的中国旧历史家，他们用旧方法搜集史料，跳来跳去，跳不出旧的圈套，所以，对旧史书不能加以批判的整理，只是固执陈说，抄录旧史，争以渊博相尚。如研究吾国长城，初无专书可考，想到长城之筑，所以拒胡，以为《史记·匈奴传》中，必有相当的史料。又想到战国之世，地据北方者不止一秦国，则燕赵世家，亦须浏览。又想到蒙恬威震匈奴，功业首屈一指，则《秦始皇本纪》及《蒙恬列传》，亦当细心阅读。或更旁及《汉书·地理志》及《后汉书·郡国志》中之北方诸郡，以采其有偶及长城的纪录。用这种方法来研究历史，正如崔述所谓："徒逞其博而不知所择，则虽读五车，遍阅四库，反不如孤陋寡闻者之尚无大失也。"关于长城在人类进化史上的意义，这些旧历史家向来没有加以注意，他们所得的印象，只是模模糊糊“拒胡”二字。我们知道长城所以能够筑成，第一，物质生产力已发展到有一部分非农业的劳动者可以离开生产；第二，劳动组织已进到单纯协业（Simple Cooperation）的形式；第三，国家除供给民事上与军事上费用之外，还有一种生活品的剩余；第四，这些生活品的剩余，集中于一个人或少数人之手。假使未具备这些条件，长城决筑不起来。像这样重大的意义，吾国以稽古为专业的旧历史家，连梦想也没有想到。

校勘家的方法

其次，是胡适，顾颉刚一流整理古史的校勘家，他们除了懂得校勘学以外，又窥见西方庸俗进化论的历史观，比旧历史家总算百尺竿头更进一步了。他们也谈到科学的方法，据胡适的自供：“科学的方法，说来其实很简单，只不过‘尊重事实，尊重证据’。在应用上，科学的方法只不过‘大胆的假设，小心的求证’。”（《胡适文存》三集一八八页）这种方法帮助了他们，同时也限制了他们，他们的长处适成为他们的短处。正如胡适自己所说之“方法虽是科学的，材料却始终是文字的。

科学的方法居然能使故纸堆里大放光明，然而故纸的材料，终究限死了科学的方法”。他们的成绩，只限于校勘家而止，在古史的荒丘中，何曾有什么新收获？无论他们如何自信，要在“烂纸堆”中“捉妖”“打鬼”，结果，仍为“妖”所困，为“鬼”所迷。

因为他们是校勘家，所以，纵然有志整理古史，终究只整理了古书，只辨别了古书的真伪，“对于中国古代的实际情形，几曾摩着了一些儿边际”（《中国古代社会研究》第二页）？胡适虽然立下“信史的骨干”，顾颉刚已着手“建立信史”，到现在还未有“信史”出版。他们于校勘学所入愈深，则于古史边际所去愈远，他们只去怀疑史书，决不能建立信史。校勘家的方法，已宣告“此路不通”。所以，研究古史的道路，不应从文字学出发，而应从社会学入手；目前许多后起的社会学家，已经跑过胡适，顾颉刚的前面去了。

社会学家的方法

在整理古史运动中，异军突起，显露头角的，要算陶希圣一流的社会学家，这一派人就文字考校说，固然远逊于校勘家，而就社会学知识说，却高出于校勘家之上。他们肄习过西方社会史，运用这方面知识来观察中国社会，其收获当然比校勘家多些。可是他们就如校勘家一样，受了自己方法论的限制。下面便是陶希圣一流人的方法论（《中国社会与中国革命》一——三页）：

> 如何观察中国社会？我们在观察中国社会时，应取三种观点：
>
> 第一是历史的观点。中国社会不是静的，不是自然形成的；是动的——是几千年历史运动所造成的。在二千四百年以前，原始封建制度已转变为商人资本与土地的封建剥削交互影响而成的经济构造。二千四百年以来，又经过几次的变迁。一千年以前，自然经济优越于货币经济；一千年以来，货币经济渐趋优越，商业金融资本主义逐渐形成。……目前金融资本商人资本支配下的小规模生产制度，不是一朝一夕成功的。所以，我们研究中国社会，必须取历史的观点。

第二是社会的观点。中国社会构造及政治组织，依旧史学看来，是个个人物造成的。秦皇，汉武，王莽，王安石各有功过。没有他们，则秦汉宋代的政治必不如史书所记载。但是，大人物是社会创造的。大人物之所以大，是由他们所缩领所代表的社会势力之大。孔子支配着二千年来的社会意识，这是不错的。但是孔子之所以有支配力，是由于某种社会势力的拥戴及援引。所以，我们观察中国社会不取个人的观点，而取社会的观点。

第三是唯物的观点。中国历史不是心的发展或观念的发展。不是天道理气的流行。是中国历史的地理，人种，及生产技术与自然材料所造成的。中国历史所以没有像欧洲近百年来急剧的变迁，所以，不走向资本主义的道路，所以，有周期病理之现象，所以，有社会衰落的状况，这些决不是某个人某学说某政治主张所促成，所转移，所能够救济于万一。我们虽不执着于历史定命论，但若把历史的成因详加剖析，则今日社会的状况，却都是必然的结果。

我们从陶希圣的自供中，知道他懂得历史是动的，懂得历史不是大人物所创造，懂得历史不是心的发展或观念的发展，按上一件唯物论（？）的大衣，反对唯心史观的统治，这确是他所以引起一般青年注意的根据。假使不客气的剥去他们的大衣，那么，就可以窥见他的“庐山面目”了。

先看陶希圣所谓历史的观点，充满了庸俗的进化论者的意见，仿佛历史运动中只有“慢慢变动”——渐变——的规律，而不懂得历史过程中革命——突变——的意义。他仅仅知道从原始社会进到金融资本主义不是一朝一夕所能成功，而不懂得历史发展达到一定的阶段，新制度有“否定”（Negation）旧制度的必要。这不过是一种庸俗进化论的历史观。

再看陶希圣社会的观点，非常笼统模糊，仿佛社会势力是不可思议的超越一切个人，这即是说，他只看到一个社会——一个茫然不知其畔岸，浩乎不知其津涯的社会，根本不了解或不顾了解社会内部的对立——

支配阶级与被支配阶级的对立。他仅仅知道以笼统模糊的社会观点来解释历史，而不懂得以对立物争斗的观点来解释历史。这不过是一种陈腐的“民胞物与”的社会观。

最后，关于陶希圣唯物的观点，也是莫名其妙。他把地理，人种，生产技术，自然材料并列为决定历史发展的因素，这原是一些地理学者与历史学者接近唯物论的见解，而与历史唯物论（Historical materialism）却大大不同。陶希圣眼中只看到历史的自然条件（地理，人种，自然材料）或人对自然的关系（技术），却未看到社会条件，即是说没有看到人与人之间的生产关系。他尽管开口唯物，闭口唯物，其实没有把握住唯物论的核心，反而走上唯心论的巢穴。至多也不过是二元论的或多元论的唯物观。

总之：陶希圣一流人的方法论，显露了许多矛盾性，更明白些说，即是在他们的著作中，显露了内容与形式的矛盾性，显露了叙述与结论的矛盾性。这自然不是偶然的，而是反映着他们所代表的社会背景，这种社会背景使他们不能彻底站在唯物论的立场。所以，陶希圣也与胡适，顾颉刚诸人一样，成了过去的历史家。

崭新的科学方法论

方法论的重要是无人能够否认的，所谓“工欲善其事，必先利其器”者是也。胡适也说过：“同样的材料，无方法便没有成绩，有方法便有成绩，好方法便有好成绩。例如我家里的电话坏了，我箱子里尽管有大学文凭，架子上尽管有经史百家，也只好束手无法，只好到隔壁人家去借电话，请电话公司派匠人来修理。匠人来了，他并没有高深学问，从没有梦见大学讲堂是什么样子。但他学了修理电话的方法，一动手便知道毛病在何处，再动手便修理好了。我们有博士头衔的人只好站在旁边赞叹感谢。”这段话把方法论的重要形容尽致了。胡博士不能修理电话，就是胡博士只懂实验主义，不懂修理电话的方法。

在神秘性的中国历史之荒丘中，想建筑一座琼楼玉宇，自然远非修理电话可比。理想上的建筑工程师，不是旧历史家，因为他们只知道抄书；也不是胡适，顾颉刚一类的校勘家，因为他们只知道整理；更不是陶希圣之流的社会学家，因为他们只知道进化论的历史观，只知道“民胞物与”的社会观，只知道二元论的或多元论的唯物观。

历史的车轮，在前进中，扫除了过去的一切。在二十世纪的现代，只有唯物的辩证法（Materialist dialectics）是崭新的科学方法论。唯物的辩证法是什么？唯物的辩证法是费尔巴哈（Feuerbach）唯物论与黑格尔（Hegel）辩证法的合题（Synthesis）。

唯物论确定“物质为主精神为附”的原则，攻下了数千年来唯心论的堡垒。辩证法呢？“在人类知道辩证法是什么之前，他们的思想早已是辩证法的。”（恩格斯《反杜林论》）到了黑格尔，辩证法便达于最高峰，打破了过去形式逻辑独霸天下的局面。不过把这两者结合起来，总算是马克思与恩格斯两位大思想家不可磨灭的功绩。所以，唯物论与辩证法是新科学方法论体系中之两个因素，如果缺少了其中一个，就破坏了整个体系。普列哈诺夫说得好：“我们辩证法之基础，就是唯物的自然界观。我们的辩证法时刻不能离开唯物论。唯物论失败了，我们的辩证法也要随之失败；反之，没有辩证法，则唯物论的认识论，也要成为不完全的，片面的，甚至不可能的。”（《论费尔巴哈》俄译文序言）这几句话，把两者的关系解释得极清楚。

现在摆在我们前面的问题，不是唯物论的辩证法是否真理，而是怎样应用这个真理到历史研究上去。换言之：就是怎样把握这个新武器去开辟中国历史的荒丘，怎样在这荒丘上建筑一座琼楼玉宇。

先就唯物论的观点说：所谓历史决不是唯心派所想像的东西；如法国白西埃（Bossuet）说历史宣示“神意指导人类”；德国雷生（Lessing）说历史是“神对人类之教育”；斐希特（Fichte）说历史乃理性之表现；谢林（Schelling）说历史是绝对性（Absolute）之经常不辍渐渐进展的过程，即是神的表现；黑格尔说世界历史为“世界精神（World spirit）之合理的必要的展开”。刚刚相反，历史的发展是与物质生产力的发展一致的；由社会经济构造所决定的矛盾与争斗，在历史过程中全部反映出来。依照这种论据，可知研究历史不应该从什么“神意”“理性”“绝对性”“世界精神”这一类的“鬼话”入手，而应该从“物质生产力”“社会经济构造”入手。

再就辩证的观点说：历史的发展便是辩证的发展，辩证的基本定律可归纳为三项：（一）矛盾的统一；（二）否定的否定；（三）由量到质的变化。依照第一律，矛盾是整个宇宙物体中都存在的，历史运动也是一种矛盾运动。我们研究历史，要抓住其中的矛盾，要认识各阶级的利害冲突即社会矛盾最显明的形式。中国政治史上几千年来农民反抗地主的暴动，便是支配阶级与被支配阶级血肉相搏的悲剧。依照第二律，物体发展到了某一阶段，必然被它本身否定，变成另一种形式；但这种否定，在其发展过程中仍包含着未来否定的成分，到某时期又把它否定了。这种最后的否定，称为否定的否定。我们研究历史，要知道现制度已否定过去的旧制度；而未来的新制度，又要否定现制度。一部中国政治史便是新旧制度的变迁史。依照第三律，每个物体发展到了某一阶段，将由量的变化转变为新的质。这即是说在发展中要经过两个阶段：渐变与突变。“突变是渐变的前提，而渐变必然的要归纳到突变。”我们研究历史，当了解在历史发展的过程中，突变是不可避免的。中国政治史上所爆发的革命，即是一种突变。

研究历史是要暴露历史的真相，而不是去掩饰这些真相。唯物的辩证法，乃最新最准最灵巧的摄影器，只有它能把历史的真相全盘托出，它的价值远出于一切旧方法之上。我们不妨试用唯物的辩证法去开辟中国历史的荒丘罢！

第二章　无政治制度时期

第一节　人类的原始及其演进

根据前章第三节关于中国政治史分期的计划，先从“无政治制度时期”说起。这一个时期，包括中国古史上伏羲以前无限悠久的年代，也可以说是中国政治史的前页。

历史本是人类活动的记录，在这里，不得不将人类的原始及其演进，扼要叙述一下。

从猿到人

数十万年之前，大约是地质学所谓第三纪（Tertiary Period）之末叶，在热带的大陆上（现已沉没为印度洋海底），曾经生存过一种“类人猿”，其发展的程度已大有可观。关于这个人类祖先的消息，达尔文（Charles Darwin，1809 － 1882）曾这样告诉我们：它们遍体生毛，下颚有须，两耳尖耸，群居树上……

古代猿猴，为适应其生活条件起见，当其行走攀缘登躐之际，两手的工作常比两脚的工作多；因此，行走时便渐渐脱离手的帮助，而养成直立步行的习惯。这一步就是从猿猴过渡到人类的一个主要关键。

我们遍体生毛的始祖，其直立步行，起初尚是习惯的，后来才变为必需，这样，手的动作便越特别起来。手与脚的分工，即在猿类中已有最显著的表现。如当攀缘登躐时，手的使用，其性质比脚不同；要撕破或攫取食物多用手（有些下等哺乳动物常用前爪）；有些猴子能用手构木为巢，如巨猩猩类常在树枝间结一顶篷以避风雨；有些猿子用手执取木捧以御敌人，或持果食石块向敌人抛掷；倘若一旦陷为俘虏，则用手演出许多模仿人类的动作。然而人类经过数十万年劳动的结果，其两手的发达，自然高于猿类万倍，人类与猿类比较，筋骨的数目与构造，彼此相同，只两手发达的程度迥异，就是文化最低的野蛮人所做出的动作，没有一个猿子的手能够表演出来：自古至今，也没有一个猴子能够用自己的手制出一把最粗笨的石刀。

在数十万年的过程中，人类祖先渐使两手应付某些行动，其行动在当初自然很简单。但至今日，即最野蛮的人类，甚至榛榛柸柸复返于野兽状况的人类，其发展的程度已比那过渡时代的动物高得多。当人类的手造成第一次的石刀时，所经过的年月至为悠久，人类有史时代与其比较起来，不过一瞬间而已。总之：两手脱离其他劳务，渐能获得新的巧妙增进技能，更将其后天的技巧，传之子孙，而继长增高以至于无穷。这确是人类史上一个主要关键。

劳动是人类发展的主要动力

由此可见手不只是劳动的器官，而且是劳动的产物；只有在劳动帮助之下，手才能适应新的机能而将后天所得筋肉的，关节的，甚至时间更久关于骨骼的构造皆传给子孙；只有在劳动帮助之下，才能使屡次锻炼的结果应用于新的功能上；只有经过劳动的过程，人类的手才能达到高度的发展，而完成神工鬼斧的技术，人类有绘画，塑像，音乐。

然而手不是孤立的，而是整个机体之一部分。有利于手的，也有利于全身，手之为用，实有一举两利之功。

依照达尔文“相互关系”的定律，生物体上各部分之间，表面上似无何等联络，但实际上一部分特殊形式必与别一部分的某种形式常有联带关系，举例言之，凡动物有无圆核的红血球，而后头骨借两关节与脊柱上端相接者必有乳腺以哺婴儿；凡双蹄类的哺乳动物必有复胃以供反刍之用；又如猫类之纯白毛而有天青色眼睛的，其耳必聋。一部分形式的改变引起别一部分形式的改变，其间因果关系，至今成为哑谜。人类两手渐趋完善，与两脚渐适于步行，必然也按“相互关系”的定律影响于别器官。不过影响的实质如何，学者尚未窥其究竟。

人类祖先是群居的动物，由于两手与劳动的发展，人类加于自然的权威逐渐增长，人类的眼界也跟着扩大，他在自然的场合内，时常发见新的事变。同时，劳动的发展，又促成社会各分子间的联系：由于彼此互相的结果，人类更了然于彼此合作的好处，人类至此，便感觉到有彼此晤谈之必要。这种要求果然造成了相当的器官。猿类不发达的食道，渐渐改造过来。由简单的器官，变为复杂的喉头，而口腔也渐能发出一个以上的连续音……

人类发展的主要动力，第一是劳动，其次就是与劳动相伴而生的语言。在这种动力的影响之下，猿类的脑渐变而为人类的脑：两者的构造虽然相同，但容量与完善的程度则大有差别。脑髓的发达必然引起感官的发达，也定如发音器官的进步必然引起听官的进步一样。鹰的视觉比人更远，但不如人类观察的明晰；狗的嗅觉较人发达，但不能像人一般的判别各种气味。触觉也是一样，猴子的触觉非常迟钝，人类由于手的发达与劳动的结果，触觉也发达起来。

脑髓发达，感觉敏锐，又转而影响于劳动与语言而促其向前进步。这个进化的过程，自有人类以来，没有一天停止过。虽各民族各时代发达的程度与方向颇有差别（间或因地位与时代的退化而停止文化进步），但就整个人类历史而言其演化的过程没有不是前进的。

更有与人类相伴而生的原素，这就是社会。它一方面促进劳动与语言的发达，另一方面，指示它们一定的方向。由缘木的猴群，进而成为人类社会，其间不知经过多少千万年。然而人类社会毕竟出现了。

猿类团体与人类社会，其根本差异何在？我们的答案是：在于劳动……

人类与劳动工具

劳动的发生只从制造工具时候起。最初的劳动工具是什么呢？观察有史以前各民族的遗迹，与现今野蛮民族的实况，可以断定最古的劳动工具为打猎捕鱼的器具……打猎捕鱼便是从完全蔬食过渡到蔬食肉食并用的桥梁。这一步是人类进化的新关键。肉类食品比植物食品好得多了，因此，肉食与消化过程可以缩短，其消化时间比蔬食短少得多；肉食动物可以省下多少时间，精力与物质，去过别的生活。人类对于植物的关系愈疏远，则对于动物的统治愈严重。无论以植物为主要食品，或以动物为主要食品，其增进人的体力及与日俱长之独立性，大抵相同。

肉食的影响还不止此。肉食实供给脑袋以更多的养料，而使人的头脑日超发达而臻于完成……

肉食的要求，引出两个更有重大意义的结果：（1）火的使用；（2）动物的驯养。大的食用再缩短食物消化的过程，因为有了火以后，食物到口已成为半消化的性质。动物的驯养使人类得到有规则的食物之来源，而不须专靠打猎为生，且家畜又常供给人类以新食物（如乳浆之类），其养料并不让于肉类。由此看来，这两种结果，实直接促成人类的解放。倘若没有这两者，人类至今还不知停滞在什么地步？

人类不但学会吃一切可吃的东西，同时还习惯于居住任何地带……当原始人类从自己的家乡（温热带地方）迁徙到寒凉地带（那里只分冬夏两季），新的需要便发生了，即人类需要居室衣服以御寒避湿。从此新的劳动部门与新的事业形式开始登上人类舞台。人兽间的界限也越深远了。

手，脑髓，发音器官三者相互作用（不但作用在个人上而且作用在整个社会上），人类便能开始经营更复杂的事业而完成更高尚的目的，劳动过程的本身也日趋于繁杂精密。渔猎之外，继以牧畜；牧畜之外，继以耕种；耕种之外，更有纺织，冶金，制陶，航行等等；商业工业又为后起之秀。此外更有艺术与科学。部落进为民族与国家之组织；而政治与法律亦相因而生了。同时，那麻醉人类头脑的荒谬绝伦的宗教也在人类社会上跳梁起来。如此河出海伏，五花八门，仿佛全属人类脑髓的产物，而两手的创作反退居于下位。且远在原始时代（例如原始家族），人们的智慧，似乎已能预定工作计划，驱使别人的手去执行。可见脑髓主宰人类社会的一幅影片，其排演于思想界不自今日始了！……

总之，动物只能利用外界的自然；只由它的身体引起自然的变化。人类则自动的改变自然，征服自然，使自然听从自己的意志。这就是人类与其他动物最后的真正的分界；而促成这个分界的又是劳动（《从猿到人的过程中劳动之作用》）。

先史时代人类演进的缩图

在上面冗长的征引中，无异展开了一幅先史时代（Prehistoricekoch）人类数十万年来演进的缩图，用不着我们再添“蛇足”。兹为清醒眉目起见，摘举要点如下：

（1）人类与猿同出一源——人猿同祖——其最初的分界是手足分工。

（2）手是人类劳动的产物，手足分工的影响及于全身的构造。

（3）劳动增进社会各分子间的联系，在共同劳动的过程中产生语言。人的脑髓与感觉亦因此进步。

（4）劳动工具是人类生产事业的先声，有了最初的劳动工具，人类便从蔬食过渡到肉食，使头脑日益发展。

（5）肉食引起火的使用与动物的驯养，更促成人类的解放。

（6）手，脑髓，发音器官的相互作用，人类便能经营更复杂的事业。

（7）人类靠劳动改变其自然环境，而环境的改变又影响到人类的本身。

照此说来，手是劳动的产物，语言是劳动的产物，头脑是劳动的产物，可见劳动不仅“创造世界”，而且是“创造人类”了。劳动好像人类演进的“梯子”，人类从这个“梯子”攀登而上，由“蒙昧”的洞窟，升到“文明”的山巅。

第二节　原始社会的素描

研究古代社会最有权威的名著，自然要让美国一八七七年出版的莫尔根《古代社会》（*Ancient Society* 或称 *Researches in the lines of Human Progress from Savagery through Barbarism, to Civilization*）首屈一指。他把人类历史划分为蒙昧，野蛮，文明三个时代。所谓原始社会（即原始共产社会的简称），大抵与“蒙昧时代”相当。

原始社会的生产技术

恩格斯依据莫尔根的材料，在《家庭，私产，及国家的起源》（*The Origin of the Family, Private Property and the State*）一书中，指明蒙昧时代分为低段，中段，高段。兹摘录其重要者如下：

（一）低段——这是人类的幼稚时期。当时人类尚住在原来的地域，即热带或半热带的森林中。他们至少有一部分时间住在树上，这样，终能避免巨大猛兽袭击以保生存。水果，坚果与根茎是他们的食品。这时期的唯一产物，就是语言的形成。有史以来，世界上没有发现过比这原始阶段更落后的民族。这个时期也许延长至数千年之久……

（二）中段——始于吃鱼（包括螃蟹，介壳类及其他水族）与用火，这两者是互相联系的，因鱼只有得火的帮助然后完全可食。有了这新食品之后，人类就不受气候与疆域的限制。他们沿河流与海岸而发展，分布到地球的大部分。所谓旧石器时代，以粗笨而无锋口的石块做成的旧石器，几乎完全属于这个时期。……继续发见的欲望与摩擦取火的经验两相连贯，后来便于居住的区域内造成新产品，这就是热灰中或地灶中烤熟富于淀粉质的根与块茎等物。等到原始武器——粗棒与枪——发明后，菜单上有时又添加一点鹿肉了。……这个阶段延长得颇久，即如现在澳洲人尚在蒙昧时代的中段。

（三）高段——始有弓箭的发明。这时期已能使鹿肉成为日常的食品，打猎也成为普通的事务。弓箭与弦合成一种较复杂的工具，由这种工具的发明，可以想到已有长时期经验的积累与思想的增进，同时也是别的种种发明后熟能生巧的结果。……

原始社会的经济形式与生产关系

根据上面的叙述，可知原始社会的生产技术，限于粗笨的石块，粗棒，枪，弓箭……而止，即所谓旧石器时代。生产技术是与生产事业相联系的，有一定的生产技术，始有一定的经济关系。当时的经济形式，亦只发展到采集经济与渔猎经济。

在采集经济占优势的地方，协业劳动颇感困难：同伴出门采集果实，分头进行总可多得一些；若是走在一路，不免有互相妨害之虞。所以这个时候的“群”，大抵以二三十人为限。到了渔猎经济发达以后，情形大变，协业劳动就成为必要了。且渔猎经济能在狭小的地面，养活更多的人口，当时人类遗留下来的住址，已有大规模的火堆，证明有百人以上的“群”。在采集经济与渔猎经济并存的时期，男女分工已经开始，采集经济的主人翁，自然是女子（看护子女，保持火物，也是女子的任务），而驰驱于荒原与水滨之上从事渔猎者，那就不能不让男子独着先鞭了。

原始技术的幼稚，是当时经济之最大弱点，欲以一石一棒之力获得充分的食料，当然是很困难的事。所以饥馑便成为当时最普遍的现象了。在技术比较发达的澳洲土人仍有束胃减食的方法，甚至“去老杀婴”，不使人浮于食。有时遇到充分的食料而不知储藏，对于过剩的食物，又弃之若敝屣。

在这样一种生产力的状态之下所形成的生产关系，有下面几个特征：

第一，是生产工具公有。当时没有个人的私有财产，并且没有财产的观念。整个的自然界——土地，生物，都是人类取得生活资料的源泉，决非任何人所得而私，自然不许任何人独占。此其一。

第二，是以需要为目的之生产。当时生产不像现在一样，以交换为目的，而是为满足自己的需要，供给自己的消费，以解决切身的生活问题。此其二。

第三，是共同生产，共同分配。当时无论何人都在自由平等的原则之下劳动；劳动的产物，按照参加劳动人数，平均分配，绝无剥削人的现象。此其三。

以上三点，是原始社会生产关系的总轮廓。

原始社会的男女关系

在原始社会——即所谓“蒙昧时代”——里，最富神秘最多争论的问题，恐怕要算男女关系吧！根据莫尔根的研究，蒙昧时代的男女关系，约可分为三个阶段：

（一）杂交——杂交表现蒙昧最低的阶段，它代表一个起码点，人在这种状况中，与环绕他们不能言的动物没有区别。他们不知道结婚，大概生活于一个霍德（harde，小群之意）中。不仅是一种蒙昧人，并且仅具有一种孱弱的智能与一种更孱弱的道德意识。乱伦（incest）的观念是没有的，不仅兄弟姊妹原来是夫妇，即父母子女性交也未尝不许可。

（二）血缘群婚——在这一阶段中，兄弟与姊妹的关系，必然包括性交关系。这即是说，结婚是按照辈分排列的：一家的祖父与祖母辈都成夫妇；他们的儿女，即父辈与母辈，也发生同样的关系；后者的儿女，又成为彼此通婚的第三组；再次一代，即是第一组的曾孙，又成为第四组。仅长辈为晚辈被拒于婚姻的权利与义务的范围之外。血缘最亲的，以至极疏远的平辈男女，都互称兄弟姊妹，因此，大家都是夫妇。所谓原始时代，姊妹即是妻室，并且是当时的道德。

（三）彭那鲁亚（Punaluan）群婚——这一阶段是

从血缘群婚中发展出来的，即在兄弟与姊妹之间，竖起一道墙壁，禁止彼此结婚。其他辈分相同的男子，不再以“兄弟”相称，而称为“彭那鲁”，即亲密的伴侣之意，他们与一群妇女结成夫妇，这些夫妇亦以“彭那鲁”相称，但自己的姊妹则不能为妻。这种习俗逐步形成，大抵始于禁止男子与同胞姊妹（即母系的姊妹）性交，以后推及于较疏远的姊妹。这一步进化非常重要。

从这些说明中，不仅可以看出由低级家庭形式（血缘家庭）进到高级家庭形式（彭那鲁亚家庭）的步骤（再往前发展则为对偶家庭与一夫一妻家庭），并且窥见氏族制度的萌芽。所谓“氏族制度大半发生于彭那鲁亚家庭中”（恩格斯），所谓“氏族起源……在时间上稍后于彭那鲁亚家庭的初次出现”（莫尔根），其原因就在这里。

原始社会的思想

原始社会的生活条件非常简单，所以，当时人类的思想也非常简单。本来，人类与环境争斗以求生存的时候，应该竭力解释各种现象的原因。经验与观察告诉他们，自然界有许多连贯而生的现象，如大雷之前有闪电，晴天早上有雾气。原始人类估计这些现象间的联系完全不正确，把前一现象看成后一现象的原因。可是这种推论，却是因果观念的初步，这一步原始人类已达到了。这种决定因果关系的方法，谓之原始逻辑。至今还不知道有多少落后民族用这样的思考法。

原始人类常根据某地偶然发生的事实，定出各种规律。一个猎人今天不获一兽，忽然回忆到出门时，曾看见月在北角，于是断定他打猎失败，因为看见月在北角之故。澳洲土人的妇女不能在捕鱼时行走，否则鱼就不能捕获了。那里土人只说从前曾有这样一个事实，他们联想到过去的事实，便决定捕鱼时妇女不能行走。这样迷信的残余，保留到现在者仍不少；如路上遇见黑猫或打破镜子，认为是凶多吉少，这也是原始逻辑的表现吧！

然而原始人类的思想还不止此。因为他们不能正确了解各现象的关系，仅把现象的一部分留在脑际，就谓这是现象的全体。例如观察一株树，那树所给与的印象，只是叶子，花瓣，与果实。以后只记得树的一部分，就以为是树的全体。中国古书上，有所谓“八口之家”一语，即是以口代人，以口代人就是以部分代全体，也就是原始逻辑的一种。

在原始人类之间，还有这样问题：物体与现象之间是由什么东西连贯起来呢？某种现象发生是由于什么原因呢？他们知道自己所发生的动作，由于自己的力量与力量使用的方向。这个粗率的推论，马上应用到自然界去，以为一切物件都有一种特别的力量。不但动物如此，即草木山川亦未尝不是如此。所以“云行雨施”、“月落日出”，其所耗的力量与人类的动作同。原始人类是把周围的自然现象与人类活动，视为无区别的。

原始逻辑也是与最初的粗笨石器，同为人类和自然争斗的工具。这种逻辑是从人类共同行动中产生的，其发生本由于技术幼稚，生产力的微弱，使他们不能正确的了解自然现象。所以，人类还不能创造极原始的科学，而只是正在准备建立这种科学的基础。

第三节 中国人种的由来

汉族是中国历史上的主人翁，谁也没有异议。究竟汉族是在“有史以前”老早奠居于中国本部呢？还是从他处迁来，到“有史时代”其形迹尚可考见呢？这便是“中国人种的由来”问题。

各种不同的异说

关于这个问题的解答，有各种不同的异说，兹分别叙于下：

（一）东来说——此说创于日本人，以为中国上古的帝王都生于东方，有下面几个证据：（A）《述异记》载“盘古生于大荒”，以为大荒是大海渺茫之状。（B）《拾遗记》载“春皇者庖牺之别号，所都之国在华胥之洲”，以为华胥是海中之岛。（C）《山海经》载“少昊之国在东海之外，其母女节生少昊于华胥”，指明华胥在东海之外。（D）《春秋元命苞》载“姜源游閟宫，其地扶桑，履大人迹而生后稷”，扶桑就是日本。所有这些说法，不过要附会中国人种是从日本来的，虽然有记载可凭，可惜这些记载是汉代或汉代以后的人所撰，不大可靠。

（二）南来说与北来说——南来说以为汉族发祥地在印度支那半岛。北来说却又以为汉族起源于美洲大陆，由美洲北部渡海而来，从北方南下而入于中国。这两说人种讲（就是印第安人也与蒙古人有同属一种的表征），就交通讲，都说得过去，但论证不足（详见南京史学社出版《史学杂志》第二卷第三四期合刊缪风《中国民族由来论》）。

（三）西来说——主张此说者最多，而且各有各的说法，如下：

（A）有说来自埃及的：耶苏教徒德人基尔什尔（Athanase Kircher）在其所著《中国图说》（*China Ienstrat*，一六六七年出版）第六编第四章《中国文字与埃及象形文字之异同》中，有"古代中国人既系埃及人之苗裔，故其书法亦一遵埃及人之旧"等语。继基尔什尔而起的，有波兰人波因谟（Michel Boym），法人胡爱（Huet）、美朗（Sieur de Mailan）、得基涅（M. de Guignes），与英人华柏敦（Warburton）、尼特汉姆（Needham）等，大抵都从文字比附以成其说。更有英人威尔金生（Wilkinsan）根据埃及第伯斯（Thebes）地方古墓中发见磁瓶，也断定中国人是由埃及而来。

（B）有说来自印度的：法人哥比诺（A. de Gobinare）

一八五三年出版的《人类种族不平等论》，以为“中国神话之盘古，实即印度民族迁入中国河南时之酋长，或诸酋长中之人，或即白种民族之人格化”。

（C）有说来自西亚细亚的：主张此说最早的，首推英人查墨尔（John Chalmers）著的《中国人之起源》（*The Origin of the Chinese*），继起者则为法人拉克伯里（T. de Lacauperie）所著的《中国古代文明西元论》（*Western Origin of the Early Chinese Civilization*），都以为中国民族与文化从巴比伦来。蒋观云的《中国人种考》，尤深信此说。

（D）有说来自中亚细亚的：法人布芳（Buffon）主张人类同出一源，于一七七八年，曾宣言人类文化发源于气候宜人，土地肥沃，无天灾人祸的中亚细亚北纬四十度至五十度之处。

西来说的证据

按西来说自然比前三说——东来说，南来说，北来说——可靠得多。不过其中的埃及说，印度说，西亚细亚说，多出于想像附会，无直接的证据。只有中亚细亚说，比较确实。近来俄人沙发诺夫（Safanov）在其所著《中国社会发展史》一书中，认为一九二一年至一九二四年瑞典人安特生（Anderson）在中国北部的发掘，给中国人种起源问题以科学研究的发端。在这次发掘，获得多量石器（适应于半渔业畜牧生活的）以及别种制造品的残迹，这制造品是用陶器轮盘的帮助而做成，并且还涂抹一些花彩。为制造杯盘而使用陶器轮盘，已表现很高的物质文化水平线，沙发诺夫又以为这种杯盘的装饰（用许多花朵与几何规则的图画），便表明这种物品在东方，西方，都有许多亲近的血缘。像这一种杯盘，绘着这一种图画，在安南，在苏彝士，在特立波（Tripole），在印度，都能找到。很明显的，这不是偶然的契合。用陶器轮盘的帮助所制成的与用一定几何的花彩装饰的那种杯盘之出现，是正当一部分在准备，一部分已完成，从石器时代转变到铜器时代的时期——约在纪元前三千年。恰恰在这个时期，因自然条件变迁影响的缘故，发生大批的移民，从中亚细亚迁徙到各方面去。沙发诺夫更引了铿格（Leonhard King）的一段话：

> 现在可以说是定则了。天旱与极无收成的时期，会逼着居民散布到广阔的幅员上去，并且他们不得不时时来找寻比较适宜的地方。像游牧部落在寻找新牧场的时候，只有穿过茫茫的荒原，才能从土耳其斯坦到西北去，而务农的民族，又不得不从里海回到南方来。

沙发诺夫依照这些论据，以十分肯定的语气说："的确，游牧浪花的一朵，后来波及黄河两岸来了，并且随身带来了自己在中亚细亚固有的文化。"（《中国社会发展史》三——六页）

以上用以证明"西来说"的材料，似乎都是些"舶来品"。以下且从"线装书"中再举出一点证据。

（一）古书上说昆仑的很多。《周礼·大宗伯》，"以黄琮礼地"，郑注"此………礼地以夏至，谓神在昆仑者也"。《典瑞》"两圭有邸，以祀地旅四望"。郑注"祀地，谓所祀于北郊，神州之神"。疏"案《河图括地象》，昆仑东南方五千里，神州是也"。入神州以后还祭昆仑之神，可见昆仑是汉族的根据地。究竟昆仑在何处呢？《尔雅》“河出昆仑墟”。《水经》“昆仑墟在西北，去嵩高五万里，地之中也。其高万一千里，河水出其东北陬”。《史记·大宛列传》“汉使穷河源，河源出于阗。其山多玉石，采来。而天子案古图书，名河所出山曰昆仑”。依此看来，现在于阗河一带，一定是汉族古代的发祥地了。

（二）汉族二字是后起之称，古时称“华”称“夏”。《左传》戎子驹支对晋人，“我诸戎饮食衣服，不与华同”（《襄公十四年》）。《国语》“裔不谋夏，夷不乱华”。《论语》“夷狄之有君，不如诸夏之亡也”。这些都可为证。西史上的巴克特利亚（Bactria），《史记》称做大夏，似乎是这地方的旧名。《吕氏春秋 · 古乐篇》“黄帝令伶伦作律。伶伦自古大夏之西，乃至阮隃之阴，取竹于嶰溪之谷”，似乎也是这一个大夏。依此看来，阿母河流域（咸海附近），也许是汉族古代的故居了。

假定这两说不错，则汉族古代似居今葱岭帕米尔高原一带，以后经新疆，甘肃而深入黄河流域。在这一点上，法人布芳与俄人沙发诺夫所谓中国人种来自中亚细亚之说，是可信的。

第四节　从古代史料上所见的中国原始社会

原始社会即所谓“先史时代”，中国关于这一时代的史料，多是一片白纸，寻不出若干墨迹，可供我们搜讨之资。就是后人有一点不完全的追记，正司马迁所谓“其文不雅驯，荐绅先生难言之……书缺有间矣，其轶乃时时见于他说，非好学深思，心知其意，固难为浅见寡闻道也”（《史记·五帝本纪》）。话虽如此，然而我们却不能不试探一下。姑且从断简残篇中，勉用“好学深思，心知其意”的方法，以期窥见中国原始社会之一斑罢！

间接的史料

先从间接的史料——书籍——说起。

我们常有“盘古开天地”这句俗话，在古代传说中似乎盘古就是首出御世的第一人。如《太平御览》所载：“天地浑沌如鸡子，盘古生其中。一万八千岁，天地开辟，阳清为天，阴浊为地，盘古在其中，一日九变，神于天，圣于地，天日高一丈，地日厚一丈，盘古日长一丈，如此万八千岁。天数极高，地数极深，盘古极长。”

在这一大串“神话”中，我们不能了解其真意义。姑无论盘古祠在桂林，墓在南海，关于盘古的神话，是否为苗族所传？姑无论阴历六月初二日为盘古生期，广西岩洞中，是否有远近聚集，致祭极虔之事？但《太平御览》所载，总不能看成信史。

唐代司马贞《补三皇本纪》载有“天地初立，有天皇氏十二头，澹泊无所施为而俗自化……兄弟十二人，立各一万八千岁。地皇十一头……姓十一人，兴于熊耳龙门等山，亦各万八千岁。人皇九头，乘龙车，驾六羽，出谷口，兄弟九人，分长九州，各立城邑，凡一百五十世，合四万五千六百年。自人皇以后，有五龙氏，燧人氏，夫庭氏，柏皇氏，中央氏，卷须氏，栗陆氏，骊连氏，赫胥氏，尊卢氏，浑沌氏，昊英氏，有巢氏，朱襄氏，葛天氏，阴康氏，无怀氏，斯盖三皇以来有天下者之号”。

这一大段话，自然有许多“不实”之词。在我们看来，除证明“无怀之前，天皇以后，年纪悠邈”之外，没有多的意义。本来，先史时代有极长之岁月，是谁也不否认的。

描写古代状况，比较上富有科学意味的，要算《白虎通》上的一段话，兹介绍于下：

> 古之时，未有三纲六纪，人民但知其母，不知其父；能蔽前而不能蔽后；卧之詓詓，行之吁吁，饥则求食，饱即弃余；茹毛饮血，而衣皮革；于是伏羲仰观象于天，俯察法于地，因夫妇，正五行，始定人道，画八卦以治天下，下伏而化之，故谓之伏羲也。谓之神农何？古之人民。皆食禽兽肉，至于神农，人民众多，禽兽不足；于是神农因天之时，分地之利，制耒耜，教民农作，神而化之，使民宜之，故谓之神农也。谓之燧人何？钻木燧取火，教民熟食，养人利性，避臭去毒，谓之燧人也。

这一段话，虽说很陈旧，却到现在，还放出科学的光芒，恐怕就是沙粒中的“黄金”罢！关于所说的三皇——普通以燧人氏，伏羲氏，神农氏为三皇——其次序应以《尚书大传》为准，即燧人氏在前，伏羲居中，神农在后。如果把次序这样更正过来，对照我在前面的分期——以伏羲前为原始共产社会——去看，知道在“养牺牲以充庖厨”的伏羲之前，确属于“蒙昧时代”，而燧人氏，简直是渔猎生活的代表。所谓“人民但知其母，不知其父”，明明是蒙昧时代“群婚”的写真；所谓“饥则求食，饱即弃余”，明明是共同采集，共同渔猎，不知储藏的实况；从“茹毛饮血”而至“取火”“熟食”，明明是由蒙昧时代“低段”升到“中段”的前程。《白虎通》上的字句，把原始社会的生活，反映得十分清楚。这不是极可宝贵的史料么？

直接的史料

至于直接的史料——地下的证据——本来很多，不过大部分尚存于“历史的秘宝”——地下——中，有待于“锄头考古学”之发掘，可惜我们目前没有眼福去翻阅这些“无字天书”哩！

我在前节内不是提到瑞典人安特生在中国北部的发掘吗？沙发诺夫根据这种发掘，断定中国人种从石器时代转变到铜器时代的时期，离开中亚细亚。所谓从石器时代转变到铜器时代这一时期，本已超过“蒙昧时代”的范围，而进到“野蛮时代”的中段，这即是说已超过原始社会而进到氏族社会了。在氏族社会中，游牧经济成为主要的形式，所以他认为“波及黄河两岸来”的是“游牧浪花的一朵”。因此，他更引了伯克斯通的话：“不大相信，中国在古石器时代就有了。虽然发现的石头工具有许多，可是到现在还没有找到一个是新石器时代以前的。我们用不着大的怀疑，中国只有很迟的新石器文化。”（《中国社会发展史》六——七页）

假使这种说法是正确的，那么，中国人在栖息中亚细亚时，业将原始社会的生活结束，而迁徙到中国本部之际，已在“养牺牲以充庖厨”的伏羲之后了。果真如此，则在中国的“历史的秘室”中，就寻不着古石器时代的史料。

可是这些中国通——伯克斯通与沙发诺夫——的断定，似乎在一九二三年早被法人德日进（Teilhard de Chardin）与桑志华（E. Licent）的锄头所推翻。德桑二氏最先发掘旧石器的地方是在宁夏城南的水东沟，其次在鄂尔多斯东南的萨拉乌苏沟与在陕西榆林南的油房头。兹分述于下：

（一）水东沟所发见的石器，如石钻，石括，拳击，形式完好，似乎都属于莫思脱连（Moustreenne）式（法国地质学家 G. de Mortillet 就所掘得的石器，比较精粗，分成四个阶梯，即以掘得处的地名做这四个阶梯的名称，如一为 Chelleen 石器，二为 Moustreenne 石器，三为 Soentremee 石器，四为 Magdaleniemne 石器）。发见的地方在水东沟旁黄土层断岩中，深入地面下十二公尺，所获数量约三百公斤。

（二）萨拉乌苏沟所发见的石器，在第四纪（Quaternary Period）下层，形成特别小，大概由于缺乏良好石材之故。就当地的石质看，绝无坚研的岩石，所以不能不用较松的石质，或竟用小沙砾来做器具。像莫思脱连式的石括已经很少，只有顶大的石括，才与水东沟所发掘的相类。

（三）油房头所发见的石器，与当地所有的石质不相称。该处地层为黄土层砾岩，几乎全部都为灰质岩球的小圆石块，而在此所得的石括等石器，却都是灰色坚硬的石英岩而成。在这样柔软的土层中发见坚硬的石器，如非人力从外方运来，则无从解释。在中国第四纪的石器中，大约没有比这更古的了。

此外，桑志华曾于一九二〇年在甘肃庆阳县北境发见灰石英岩破石卵两片，与油房头的式样相同；又在真正风成黄土层上面得到曾经人工的石英岩两片。

由此看来，东从榆林，西到宁夏，南及庆阳，在旧石器时代已有人类栖息其间，这即是原始社会的地盘。不过这些地方，还未发见人骨，所以制造这些石器的主人为谁，无从研究。或是西来的汉族，抑是最初便住在这里的土著？须待地下史料继续发见，方能判断。中国的地下史料，与中国的地下富源一样，非常充足，我想这一问题在不远的将来是能解答的。到那时候，中国“先史时代”的白纸，一定写满了字字珠玉的文章。

人类起源于原始社会，却不停滞于原始社会，中国人亦是如此，从原始社会继续向更高的阶段前进，跳出古石器时代而蹈入新石器时代，也就是跳出“蒙昧时代”而踏入野蛮时代。紧接在原始社会之后的是氏族社会。到了氏族社会，而无政治制度时期便告终了。

第三章　氏族政治制度时期

第一节　氏族社会的素描

原始社会瓦解以后，氏族社会接踵而起。我在第二章第二节里，已指出原始社会大抵与莫尔根所谓“蒙昧时代”相当。氏族社会既紧接在原始社会之后，自然与“野蛮时代”相当了。

氏族社会的生产技术

就生产技术说：原始社会，限于粗笨的石块，粗棒，枪，弓箭……而止，即所谓旧石器时代，氏族社会初期则由旧石器时代进到新石器时代（有锋口的石器）。同时，发明陶土术，这种发明大半由于涂泥于木料的或编折而成的器皿上以防焚毁的习惯而来。稍迟一点，便兼用铜器与青铜器（铜与锡之合金），到了末期，铁器也许发明了，不过从石器向金属器推移，既非一朝一夕之故，复非十年百年之功。原始人想发明一件东西，或改良一件东西，大非易事。据说：新石器时代开始，约在纪元前一万二千年，铜器出现约在纪元前八千年，青铜器出现约在纪元前五千年。

在新石器盛行的时候，骨器与木器也非常发达。骨器以鹿角为主，用骨可制大针，小针，短刀，枪头，钓针。木做的工具则有水瓢，棍棒，梳，弓等。由于工具的进步，对于木材有加工之可能，独木舟也相继出现了，不仅改良了渔业的条件，并且增进了交通的效率。同时，建筑技术亦有相当发达，常在河底或湖底建立木桩，在木桩上筑屋，以供居住之用，且借此以避野兽的袭击。

氏族社会之经济情形

说到经济形式，在氏族社会之中，已从采集与渔猎经济，而进到生产经济。驯养牲畜，栽培植物，成为主要的生产部门。在游猎时期的日常生活中，渐知养犬以供猎兽之用，同时又知养鹿，羊等动物以供拉物或食料之用。在适当区域，家畜蕃衍成群，遂过渡到游牧生活。游牧本是一种困难而又复杂的事业，一开始即归男子负担。栽培植物，始于女子，所以最初的农业为女子的专职。但女子对于垦荒辟地的工作，力有所不及，此时男子亦渐参加于农业之中，处理伐木斩棘等等，女子则负散播种子之责。初期耙耕农业，仍由女子主管。到了犁耕时期，男子作用大于女子，因为犁耕需要牛马的推曳力，不消说，牛马是男子的专利品。牛马在农业生产上的利用，便是男子战胜女子的重要关头。

随着游牧经济与农业经济的差异，地理上的分工亦因而显著，大抵草原地方，游牧经济发达，而有森林与河流的地方，则农业经济发达。此外，独立的手工业，陶器业，纺织业的专门化，也渐渐形成了。在生产经济专门化的基础之上，氏族间或部落间的交易也有必要了。

氏族社会的社会生活

在氏族社会中，以生产技术不断的进步与经济形式日臻于繁复，于是社会生活亦起大的变化。从前不是说过“氏族制度大半发生于彭那鲁亚家庭中”吗？从前不是说过“氏族起源………在时间上稍后于彭那鲁亚家庭的初次出现”吗？每个氏族有一定的称谓，普通叫着图腾（Totem），图腾者北美洲土人所崇拜之动物，视为与其氏族有密切之关系，以作自己氏族之象征者。两性的组织都冠以动物的名称，同一图腾——氏族内的男女禁止通婚，而实行一种“外婚制”（Exogamy），这一点，比彭那鲁亚群婚，确已百尺竿头更进一步。这是氏族的基本原则，也是氏族借以团结的关键。莫尔根即以这个简单事实的发现，第一次揭开氏族的本性。到这时候，一切群婚在事实上成为不可能，而建立一对男女没有固定结合的“对偶婚”（到氏族社会崩溃的时期，一夫一妻制才出现）。起初以母系为主，即所谓母系氏族。后来，以男子在经济上的地位，日占优势，父系氏族便推翻母系，一跃而为氏族的主人。“母系的崩溃，是女性在历史上的失败。于是男子夺取住宅中的统治权，女子则被贱视，奴役，成为男子的玩具与生小孩的机器了。”（恩格斯）

另一方面，以剩余生产物之日多，私有财产便跟着出现。有了私有财产，则掠夺，战争，便必然的发生。到了社会生产力达于某种限度时，在战争中所得的俘虏，就不再杀戮，而用为奴隶了。

到了这一步，氏族社会便走上末日，社会的发展已超出它的范围，归根结局，不得不为另一制度所否定了。

第二节　氏族政治制度的轮廓

氏族政治制度的实例

恩格斯认为“氏族是一切野蛮民族进到文明前的共同制度”。要说明这个制度，不可不依照莫尔根的研究，选择伊洛克（Iroquois）人，特别是孙内加（Seneca）部落中的氏族，为原始氏族之古典的形式。在“孙内加”部落中共有八个氏族，都取名于动物。（一）狼（Wolf），（二）熊（Bear），（三）龟（Turtle），（四）海狸（Beaver），（五）鹿（Deer），（六）鹬（Snipe），（七）苍鹭（Heron），（八）鹰（Howlet），每个氏族奉行下列几种重要的习惯：

一、氏族中选出酋长（Sachem）与元帅（Chief）。酋长为平和时的长官，必须从氏族内选出。元帅即战争时的首领，可从氏族外选出，有时还可虚悬。关于酋长的职务，儿子决不能承继父亲，因为伊洛克人重母系，儿子属其他氏族。选举权男女皆有，然一氏族所选出的，必须得其余七氏族之同意，然后由全伊洛克联盟的总议会（Common Council）任命当选的酋长就职。酋长在氏族内无强制的权力。元帅只在战争时发施号令而已。

二、氏族得随意罢免酋长与元帅，被罢免者仍得为普通的氏族一分子。又部落的会议亦能罢免酋长，甚至可以违反氏族的意见。

三、死者的财产，非本人的氏族不得染指，所以财产必须留在原来的氏族中。

四、氏族中各分子有互相扶助，互相保护之义务。有侵害个人者等于侵害全氏族，所以复仇成为伊洛克人的天经地义了。

五、氏族有其特殊的谱名或谱系，全部落的其他各氏族不得混同，所以从个人的名字上，可以看出他属于那氏族。

六、氏族可收容外人，战争的俘虏未被杀害者得收容于氏族中，变成氏族一分子，且能享受氏族中与部落中一切权利。

七、氏族有公共的墓地。

八、氏族有一个氏族会议，为氏族中一切成年男女之民主的集会，各人都有同等的表决权。选举或罢免酋长与元帅，由这氏族会议解决。这是氏族中最高机关。

以上是氏族的组织。氏族是一个社会的单位，氏族以上有宗族（Phratry）。“孙内加”部落有两个宗族，第一个宗族由第一至第四氏族组成，第二个宗族则由第五至第八氏族组成。更精密的观察一下，便知这两个宗族，大抵是最初的基本氏族，因为婚姻的禁例关系，一个部落至少必有两个氏族才能成立。等到部落人口增加，每个基本氏族分成两个或更多的新氏族，而基本氏族则包括一切新氏族而形成宗族了（据传说，熊与鹿是“孙内加”的基本氏族）。宗族亦有宗族会议，处理共同的事情。几个宗族结合而成部落，部落亦有由酋长与元帅为代表所组成的部落会议。在伊洛克人中更有五个同血统的部落，建立“永久的联盟”（Eternal League），联盟的办事机关是总议会，为五十个酋长合组而成的，并无执行的领袖（只有两个权力平等的军事长官）。总之，所谓宗族，所谓部落，都是从氏族发展出来的。

氏族政治制度的优点

这个氏族政治制度有什么优点呢？要回答这个问题，只须引下面一段话（《家庭，私产，及国家的起源》第三章）：

> 这个氏族制度是如何自然简单的组织呵！没有军队，宪兵，警察，没有贵族，国王，总督，知事或法官，没有监狱，又没有诉讼；而一切事体却能顺利进行。一切口角与争论，都以有关系的全体氏族，或部落，或是其中的几个氏族来解决。只有在极稀罕的事变中，才有复仇的极端行动发生。现在的死刑，不过是它的文明形式，附带有文明时代一切利害的行动罢了。氏族社会的共同事务，如公有的住宅为许多家庭所共享，土地属于部落，只有菜园暂时属于各个家庭。然而这些共同事务，他们并不需要如今日那样广大复杂的管理机关。各种

要解决的事情，大家照着数年来的旧习惯做去便是。颠连无告的穷人是不会有的——共产主义的家庭与氏族，都懂得扶助老人，病人，残废者的义务。一切都是自由平等的，妇女亦在自由平等之列。此时尚无奴隶，也无压迫其他部落的事情发生。

我们引了这些材料，并不是为研究什么孙加内或研究什么伊洛克，而是为解决像谜一样的中国历史问题。恩格斯说得好："无论在什么地方，只要我们看到氏族是一个民族的社会单位时，我们就可以去找如上述的部落组织。再无论什么时候，只要手里有充分的材料，如关于希腊与罗马的历史，我们不仅可以找到这种组织，且以此与美洲的两性组织相对照，能帮助我们在这些材料所不能解释的地方，打破疑团，并走出迷阵。"我们的意思，也无非想借莫尔根所制造的"西洋镜"来打破中国历史上的"疑团"，与走出中国历史上的"迷阵"而已。

第三节 从伏羲到帝喾

中国氏族政治制度的创始者

中国氏族政治制度起于何时，本无信史可资可证。我们在前面的分期，是假定中国氏族制度从养牺牲以充庖厨的伏羲开始的；这即是说，伏羲是驯养牲畜的代表。驯养牲畜的渔猎经济与生产经济（游牧，农业）的分水界，也就是人类历史从原始社会走进氏族社会的第一步。这种假定，我相信是正确的。

据司马贞《补三皇本纪》，伏羲之后为女娲，女娲之后为神农，神农传至榆罔，凡八代，而轩辕兴焉。伏羲与女娲皆风姓，以龙纪官，有蛇身人首之说；神农则为姜姓，以火名官，亦有人身牛首之说。这些神话，似乎指他们所崇拜之“图腾”而言。《易·系辞》上有“古者庖牺氏之王天下也………”一语，所谓“王天下”，不待说，自然是指做酋长这件事。我们应该认定伏羲，女娲，神农都是当时的酋长，不过伏羲与女娲同一个氏族，而神农则为另一个氏族耳。

据《史记》(《大戴记·帝系》篇同)，黄帝名轩辕，长于姬水，因以为姓。黄帝之后为帝颛顼，颛顼之后为帝喾。然黄帝之子玄嚣与昌意皆不能继承帝位，而传于颛顼（昌意之子），颛顼之子穷蝉与鲧亦不能继承帝位，而传于帝喾（玄嚣之孙，蟜极之子）。很明白的看出当时父系制度尚未成立，所以，都不能把帝位（酋长）传给自己的儿子，必须经过氏族选举的手续。我们只要用司马迁的方法——好学深思，心知其意——来读司马迁的书，便了解当时制度的真相了。

现在就以伏羲、神农、黄帝为代表，引证史料，看这三个酋长做了一些什么。

伏羲氏

司马贞《补三皇本纪》说："太皞庖牺氏，风姓，代燧人氏继天而王。母曰华胥，履大人迹于雷泽，而生庖牺于成纪。……始制嫁娶，以俪皮为礼。结网罟以教佃渔，故曰宓牺氏。养牺牲以充庖厨，故曰庖牺。"《易·系辞》上话，与此大不相同。

从这段记载中，使我们特别感兴趣的，没有一字说到伏羲的父亲，只说其母履大人迹于雷泽而生他，可以毫不怀疑的断定伏羲是群婚制的产物。所谓制嫁娶(《白虎通》上说，“因夫妇，正五行”)，自然是打破群婚制，成立对偶家庭。所谓俪皮为礼，俪皮即是两鹿皮，寓有对偶之意。嫁娶必以俪皮为礼，更可看出是族外婚；如果是族内婚，就用不着这样隆重的礼物了。教佃渔而用网罟，足见渔猎工具之进步，必有这种优越的工具，而后捕获较多，才有剩余的牺牲留下以供饲养。至于养牺牲的意义，在本节劈头即已解释清楚，用不着再说了。

神农氏

司马贞《补三皇本纪》又说：“炎帝神农氏，姜姓，母曰女登，有娲氏之女，为少典妃，感神龙而生炎帝，……斲木为耜，揉木为耒，耒耜之用，以教万人，始教耕，故号神农氏。……教人日中为市，交易而退，各得其所。”(《易·系辞》略同)

案神农生于伏羲“制嫁娶”之后，论理，应该有父亲，所以上面有“母曰女登……为少典妃”一语，国语上亦有“少典娶有娇氏女而生炎帝”(即神农)之文，姑无论少典是人名，抑是国号(《史记索隐》以五帝本纪载黄帝为少典之子，又《秦本纪》载大业娶少典氏而生柏翳，断定少典是诸侯国号，非人名），似乎神农已有一个模模糊糊的父亲，很像对偶家庭时期的光景。所谓制耒耜以教耕，显然看出生产技术进步，在驯养牲畜之后又发明农业了，这时候，生产已有剩余，于是“交易”——以物易物——便第一次出现了。

轩辕氏

黄帝较伏羲神农为晚出，各方面都向前发展，所以，《易·系辞》上有：“黄帝……垂衣裳而天下治（原文本有尧舜在内，《正义》云，黄帝制其初，尧舜成其末）。……刳木为舟，剡木为楫，以济不通……服牛乘马，引重致远……重门击柝，以待暴客……断木为杵，掘地为臼，臼杵之利，万民以济……弦木为弧，剡木为矢，弧矢之利，以威天下……上古穴居而野处，后世圣人易之以宫室，上栋下宇，以待风雨……古之葬者，厚衣之以薪，葬之中野，不封不树，丧期无数，后世圣人易之以棺椁……上古结绳而治，后世圣人易以书契……”这段话里，有一大串的新发明，如衣裳，舟楫，杵臼，弧矢，宫室，棺椁，书契等等，一望而知，比“网罟”，“耒耜”，复杂得多。所谓“服牛乘马”，证明已从驯养牲畜，进到役使牲畜，比“充庖厨”有益得多。而“暴客”这个怪东西，便是在生产了剩余之后，由分配不均所引起的，既已发生劫掠，就不得不“重门击柝”，以资防卫。这恐怕是社会内部业经分化的证据吧，到了这一步，不祥的“战争”便不可避免的光临下土了！我们且引《史记》上的一段话来证明这件事。

> 轩辕之时，神农氏世衰，诸侯相侵伐，暴虐百姓，而神农氏弗能征，于是轩辕乃习用干戈……教熊罴貔貅貙虎，以与炎帝战于阪泉之野，三战然后得志。蚩尤作乱，不用帝命，于是黄帝乃征师诸侯，与蚩尤战于涿鹿之野，遂禽杀蚩尤。而诸侯咸尊轩辕为天子，代神农氏……

氏族战争与选举酋长

这里明白指出两次战争，一次黄帝与炎帝战于阪泉，一次黄帝与蚩尤战于涿鹿，都是氏族战争。炎帝姓姜，黄帝姓姬，显然两个氏族。蚩尤姓什么，固然在旧史上无记载，但决不如近人所说，相信他是苗族之长（此因古人以蚩尤为九黎之君，又以苗民为九黎之君，以致弄错）。且据《史记》上“诸侯咸来宾从，而蚩尤最为暴”之语，则蚩尤当是诸侯之一，用现代术语说，就是氏族之一。黄帝与他干戈相见，依然是氏族战争。两次战争胜利之果，都落黄帝手中。所以，诸侯咸尊他为天子。就“咸尊”二字解释，可以想见诸侯一致推戴——选举——的盛况。也许是与“孙内加”部落一样，一氏族选出须得其他七氏族同意的把戏吧！当时战争的武器，仍停滞于新石器时代，所以，《太白阴经》有“神农以石为兵，黄帝以玉为兵”之说。但管子则谓“蚩尤受卢山之金而作五兵”，本与《五帝本纪》“旁罗……土石金玉”一语相符。依照这两种证据，似乎黄帝之时已用铜器。不过近年安特生的发掘，证明中国古代所谓仰韶期（以河南仰韶村的新石器为代表）文化已经入于农业文化的阶梯，却没有铜器发见。仰韶期的年代，现在固未确定，然据安特生的推测，以为距今有五千年。

黄帝到现在约有五千年左右，当然未超出新石器时代的范围。

关于这一时期的经济形式，我们已承认神农为发明农业之人，黄帝亦有“艺五种”“时播百谷草木”之说(《五帝本纪》)，但这只说明农业已有萌芽，而占统治地位的经济形式，还是首推游牧。如《五帝本纪》载有“黄帝……披山通道，未尝宁居，东至于海……西至于空桐……南至于江……北逐荤粥……迁徙往来无常处，以师兵为营卫”等语，便把游牧时代的景象，很透彻的说明了。

母系氏族与撤换酋长

总合上面所引的材料，恰恰证明伏羲，神农，黄帝为氏族政治的代表。此外，还有两种史实，值得我们注意：

（1）氏族形式，先有母系。伏羲风姓，神农姜姓，黄帝姬姓，就姓字意义说，即母系氏族的证明。说文解字著者，释姓起源说：“姓，人能生也，古之神圣人，母感天而生子，故称天子。因生以为姓，从女生，生亦声：姓为‘女’‘生’二字而成，所以示姓之所由起。”郑樵《通志·氏族略》有“女生为姓，故姓之字多从女”；而历举姬，姜，嬴，姒，姞等的古姓以为证。可见当时正是母系氏族。

（2）如本章第二节所述，“孙内加”部落各氏族有选举酋长，撤换酋长的习惯。关于选举酋长一方面，已引“诸侯咸尊黄帝为天子”以及“黄帝以后数代不能把帝位传给自己的儿子”以资证明。至于撤换酋长一事，是否亦有先例呢？有的！史载帝挚继帝喾而立，在位九年，荒唐无度，诸侯废之，而立其弟尧为天子。这恰恰是撤换酋长的铁证。

有了这些彰明较著的史实，便可断定从伏羲到帝喾，确已进到氏族政治制度的初期。

第四节　尧舜禅让

儒家的意见

经过儒家笔尖儿点染的历史，简直把尧舜形容得高不可攀，以为“其仁如天，其知如神，就之如日，望之如云”，真是空绝千古，儒家何以如此？因为儒家法尧舜，犹道祖黄帝，墨家述禹德，农家说神农，各本其说而大事夸张。后来儒家遇到“章表六经罢黜百家”的知己，走了幸运，尧舜也跟着走了幸运。孟子在《万章篇》上，称赞尧舜禅让天下的故事，可说理想化了。他是“序诗书述仲尼之意”（《史记·孟子列传》）的人，自然《万章篇》上所说，原本于《尚书》。司马迁亦属儒家，《史记·五帝本纪》载有下面一段话：

> 尧曰：嗟四岳，朕在位七十载，汝能庸命，践朕位。岳曰：鄙德，忝帝位。尧曰：悉举贵戚及疏远隐匿者。众皆言于尧曰：有矜在民间，曰虞舜。尧曰：然朕闻之，其何如？岳曰：盲者子；父顽，母嚚，弟傲，能和以孝，烝烝治，不至奸。尧曰：吾其试哉。于是尧妻之以二女，观其德于二女。舜饬下二女于妫汭，如妇礼。尧善之，乃使舜慎和五典，五典能从；乃遍入百官，百官时序；宾于四门，四门穆穆，诸侯远方宾客皆敬；尧使舜入山林川泽，暴风雷雨，

> 舜行不迷。尧以为圣，召舜曰：女谋事至而言可绩，三年矣，女登帝位。舜让于德不怿。……于是帝尧老，命舜摄行天子之政。……尧立七十年得舜，二十年而老……尧知子丹朱之不肖，不足授天子……授舜则天下得其利而丹朱病，授丹朱则天下病而丹朱得其利。尧曰：终不能以天下之病而利一人，而卒授舜以天下。尧崩，三年之丧毕，舜让辟丹朱于南河之南。诸侯朝觐者不之丹朱而之舜，岳讼者不之丹朱而之舜，讴歌者不讴歌丹朱而讴歌舜。舜曰：天也，夫而后之中国，践天子位焉。

舜子商均亦不肖，舜乃预荐禹于天，十七年而崩。三年丧毕，禹乃让舜子，如舜让尧子，诸侯归之。然后禹践天子位。尧子丹朱，舜子商均，皆有强土以奉先祀，服其服，礼乐如之。以客见天子，天子弗臣，示不敢专也。

非儒家的意见

以上是儒家的记载。所谓“传贤”，所谓“公天下”，都是以这类记载为信史所下的批评。非儒家的议论却不是这样。如：

《韩非子·外储篇》载："尧欲传天下于舜，鲧谏曰：不祥哉！孰以天下而传之于匹夫乎？尧不听，举兵而诛鲧于羽山之郊。共工又谏曰：孰以天下而传之于匹夫乎？尧不听，又举兵而诛共工于幽州之都。于是天下莫言无传天下于舜。"

又《忠孝篇》载："瞽叟为舜父而舜放之，象为舜弟而舜杀之，放父杀弟，不可谓仁。妻帝二女，而取天下，不可谓义。"

此外，如庄周之流，则谓尧舜虽有揖让之事，而其揖让的原因，殆由于当时天子之位，去取甚易，尚未成为争夺的目标。甚至有谓"尧让天下于许由，许由不受，耻之，逃隐"等语（《史记·伯夷列传》）。这种说法，把尧舜禅让看得极平常，不像儒家之大鼓大擂的称赞。

刘知几的意见

至于明目张胆的否认禅让，对儒家之说高举"反叛之旗"的，则有唐代刘知几。刘氏在《史通·疑古篇》中，首先揭出《尧典》上所谓“克明俊德”以及《陆贾新语》上所谓“尧舜之人（一作民）比屋可封”之非事实。他说：

> 案《春秋传》云，高阳高辛二氏有才子八人，谓之元凯，此十六族也，世济其美，不陨其名，以至于尧，尧不得举。帝鸿氏少昊氏颛顼氏各有不才子，天下谓之饕餮，以比三族，俱称四凶，而尧亦不能去。斯则当尧之世，小人君子，比肩齐列，善恶无分，贤愚共贯。且《论语》有云，舜举咎繇，不仁者远，是则当咎繇未举，不仁甚多，弥验尧时群小在位者矣。又安得谓之克明俊德，比屋可封者乎？

刘知几既将“唐虞太平盛世”的假幌子戳穿，便进而否认禅让之事。他先述尧授舜之不可靠，继又述舜授禹之不可靠。刘氏又不为旧说所蔽，总算“独具只眼”之人。他说：

> 案《汲冢琐语》云：舜放尧于平阳。而书

云（书名缺）某地（地名缺）有城以囚尧为号(《括地志》云：故尧城在濮州鄄城县东北十五里。《竹书》云：昔尧德衰为舜所囚也。又有偃朱故城在县西北十五里。《竹书》云：舜囚尧复偃塞丹朱，使不与父相见也。——编者注)。识者凭斯异说，颇以禅受为疑。……据《山海经》，谓："放勋之子为帝丹朱"(《山海南经》有苍梧之山，帝舜𦵏于阳，帝丹朱𦵏于阴。——编者注)，而列君（疑名字之讹）于帝者，得非舜虽废尧，仍立尧子。俄又夺其帝者乎？……斯则尧之授舜，其事难明，谓之让国，徒虚语耳。

他接着又说：

《虞书·舜典》又云："五十载，陟方乃死。"《注》云，死苍梧之野，因𦵏焉。(《史记》亦有舜南巡狩崩于苍梧之野，𦵏于江南九疑，是为零陵。——编者注）案苍梧者，于楚则川号汨罗，在汉则邑称零桂，地总百越，山连五岭，人风婐画（谓文身），地气歊瘴，虽使百金之子，犹惮经履其途，况以万乘之君，而堪巡幸其国？且舜必以精华既竭，形神告劳，舍兹宝位，如释重负，何得以垂殁之年，更践不毛之地？兼复二妃不从（《礼记》曰：舜葬苍梧，二妃不从。——编者注），怨旷生离，万里无依，孤魂溘尽，让王高蹈，岂其若是者乎？……斯则陟方之死，其殆文命（《史记·夏禹》名曰文命——编者注）之志乎？

刘知几抓住这些证据，认为舜禹践位，实含有篡夺的意味。所以有“近古奸雄奋发，自号勤王，或废父而立其子，或黜兄而奉其弟，始则示相推戴，终则成其篡夺，求诸历代，往往而有”之语。假使刘知几的推论不错，那么，《尚书》，《孟子》，《史记》三书关于尧舜禅让的记载，都成为“废纸”了。

从政治制度上估计尧舜禅让问题

难道果真如疑古玄同所说，“尧舜二人一定是‘无是公’‘乌有先生’。尧，高也；舜借为‘俊’，大也。……尧舜的意义就和‘圣人’‘贤人’‘英雄’‘豪杰’一样，只是理想的人格之名称而已”么？（顾颉刚《古史辨》六七页）自然不是如此。

我认为要判断是否有禅让这回事？不当以尧舜个人的人格或好或坏为标准，而应该从当时的政治制度出发。一般说来，“藐乎小矣”的个人，总是受制度的支配，现代如此，古代亦是如此。所以，想对尧舜禅让有正确的估计，不可不说明尧舜时代的制度。

就生产技术说，当时仍未跳出新石器时代。倘在《史记·五帝本纪》中涉躐一过，即看到下面一些句子，如“在璇玑玉冲”，“五玉”，“予击石附石”……证明天文，朝觐，音乐所用的工具，还是石器。舜于“耕历山”，“渔雷泽”之外，且“陶河滨”，陶业是野蛮时代的特征，在前面已讲过。

就经济形式说，虽然农业已经发端（如舜耕历山，命后稷播时百谷等），但仍以游牧占统治的地位。如敬授民时的羲和，只注意到“鸟兽字微”（《尚书》则作“字尾”），“鸟兽希革”，“鸟兽毛毨”，“鸟兽氄毛”，即是最有力的证据。此外，如朝觐以二生（羔雁）一死（雉）为贽，祭祀用特牛，尧赐舜以牛羊，以及歌颂太平则有“百兽率舞”，“凤凰来翔”之类。可见鸟兽这类东西与当时实际生活已融成一片了。

就婚姻关系说，在古史中尧舜都有父母可考，足见当时已脱离群婚制，至于尧以娥皇女英妻舜，即《尚书》上所谓“厘降二女于妫汭，嫔于虞”者是也。这也是一夫一妻制未成立之前，在对偶家庭中所常有的现象。而郭沫若却执《孟子·万章篇》有“二嫂使治朕栖”一语,《楚辞·天问篇》有“眩弟并淫，危害厥兄”一语，断定尧舜时代为姊妹共夫，兄弟共妻的彭那鲁亚家庭（亚血族群婚）。（详见《中国古代社会研究》一〇七——一〇八页）我以为这种见解是错误的。如果当时为彭那鲁亚家庭，则象本来就有以娥皇女英为妻的权利，用不着“日以杀为事”了。惟象必把舜杀了之后，才可办到“二嫂使治朕栖”，这恰恰证明当时并不是彭那鲁亚家庭。

根据这三项——生产技术，经济形式，婚姻关系——而下判断，我们可以大胆说一句：尧舜时代的制度，正是氏族政治制度。

在氏族政治制度之下，酋长由各氏族选举，已成根深蒂固的习惯。尧舜当然不可违反这种习惯而自便其私。所以尧在位七十载，想得一继位之人，不能不叫四岳悉举贵戚及疏远隐匿者。于是“有矜在民间”的虞舜，便一步登天了。到舜寻求“替人”的时候，也不能不循四岳之请，预荐禹于天，当时“唯禹之功为大”，于是禹继舜而为天子了。尧的帝位不传给丹朱，舜的帝位不传给商均，并非尧舜都是大公无私的圣人，也并非丹朱商均都是万恶不肖的儿子，事实上是父系制度尚未成立，氏族社会不能举丹朱商均继位。当时四岳，十二牧，九官，二十二人，自然都是氏族会议的参加者，握有选举酋长的大权；舜禹继位，都要得到他们的同意。这即是尧舜禅让的本质，这在当时制度下面，本是一件平常的事。不过“托古改制”的儒家，想对后世篡夺之风有所匡正，就借尧舜禅让之先例，以树楷模，而把平常的事理想化起来，这两个泥塑木雕的菩萨，便点缀得金光灿然万人共仰了。那晓得尧舜在当时竟是意志不自由的人呢？如果以为这句话过火，请看下面一件证据：

> 尧曰：嗟四岳，汤汤洪水滔天，浩浩怀山襄陵，下民其忧，有能使治者。皆曰：鲧可。尧曰：鲧负命毁族，不可。岳曰：异哉！试不可用而已。尧于是听岳用鲧，九载，功用不成。(《史记·五帝本纪》，《尚书·尧典》亦大致相同)

我想事实再明白没有了，尧以为鲧不可用，而四岳必欲用之，尧只得让其尝试。可见用人行政的大权，皆操在四岳之手，尧舜不过是“签名画押”的人罢了。

这样说来，禅让本是一件平常的事。儒家过分颂扬，固是多此一举，而刘知几之流，根本否认这件事，且将篡夺之罪，加于舜禹之身，亦近于“吹毛求疵”。我们只就事论事，揭穿它的本来面目，使知尧舜禅让是我国古代氏族政治制度中之一个连环，与现在北美土人选举酋长之事相等。从整个政治制度上去了解问题，不以个人的人格或好或坏为标准而下判断。

第五节　夏禹治水与世袭政治

夏禹治水问题

夏代总还不是有信史的时候吧！正如安特生所说："夏为三代之首，其历史至今仍属渺茫，考古之资料更难寻找。是以夏代历史殊难征信。"然而这决不是照顾颉刚所想的一样，以为"禹是九鼎上铸的一种动物"（《古史辨》六三页），也决不是像陶希圣所想的一样，以为"汤以前的禹，不过殷人崇拜的水土之神"（《中国封建社会史》一三页）。

《夏书·禹贡》本记禹事迹的专书，但因其中有"厥贡璆铁银镂砮磬"一语，可断定此书非禹时代所作。就殷周已出土的古物说，还只有铜锡合制的青铜器，禹在殷商之前，自然不会有什么铁，有什么镂（钢铁）。许多人抓着这一点"破绽"，便把《禹贡》否定了。

大家都相信《诗经》是可靠的载籍，其中虽未提及尧舜，却已说到禹；如《鲁颂·閟宫篇》有"缵禹之绪"；《商颂·长发篇》有"洪水芒芒，禹敷土下方"。似乎禹的史实比尧舜还要可靠些。于是顾颉刚与陶希圣两人的臆说，就值不得一辨了。

现在就从治水问题说起。

现在前节里已牵涉到“洪水”了。洪水为灾是古代的事实，本无人否认。《吕氏春秋 · 爱类篇》说：“古者龙门未开，吕梁未发，河出孟门之上，大溢逆流；无有丘陵高阜，尽皆灭之，名曰鸿水。”似乎洪水即是河患。《淮南子·本经训》说：“龙门未开，吕梁未发，江淮流通，四海溟涬。”可见当时水患，泛滥于中国大平原。儒家的《孟子》也一再说到，如《滕文公上》，“当尧之时，天下犹未平，洪水横流，泛滥于天下；草木畅茂……禽兽逼人，兽蹄鸟迹之道，交于中国”。又《滕文公下》，“当尧之时，水逆行，泛滥于中国，蛇龙居之，民无所定，上者为巢，下者为营窟”。“序诗书”的《孟子》，自然是有所本的。

关于禹之治水，《史记·夏本纪》上曾有这样的叙述：

> 禹乃遂与益，后稷奉帝命，命诸侯百姓，兴人徒以傅土；行山表木，定高山大川……乃劳身焦思，居外十三年，过家门不敢入。……

陆行乘车，水行乘船，泥行乘橇，山行乘辇，左准绳，又规矩，载四时以开九州，通九道，陂九泽，度九山。令益与众庶稻，可种卑湿。令后稷与众庶难得之食；食少，调有余相给，以均诸侯。

这种说法，与《孟子·滕文公上》，“舜使益掌火……禹疏九河，瀹济漯而注之海，决汝汉，排淮泗，而注之江……后稷教民稼穑……”，大致相同。证明当时治水，是禹为主而益稷佐之。

可是我国地质学专家丁文江则认定垣曲以上不能有河患。而江河又都是天然的水道，没有丝毫人工疏导的痕迹，所以禹治水的故事绝不可信。甚至有人以为当时下游的河患，也不是十分利害，更说不到怎样普遍；且在殷以前地广人稀，居民又只踏进农业阶段，因此，在河患发生时，他们就不必治水，也无力治水，而只能逃水。

我认为把禹治水看成神通广大的奇迹，如禹凿龙门……一类的神话，固然近于无稽。但想将禹治水这回事根本抹煞，那亦是矫枉过直。禹就当时的水势，做一点疏导工夫，叫小水归入大水，大水东流入海，如《孟子》所谓“水由地中行，江淮河汉是也”的光景，也并非完全不可能，古书上凿凿有据的史实，难道都是捕风捉影么？

治水问题是否是中国历史之锁钥

另一方面：有些欧洲学者，却与丁文江之流的意见相反，以治水问题为了解中国历史之锁钥。他们因“现代科学对古代东方社会关系发展与性质之各方面的研究所供给的材料太少”，一提及东方时，首先想到埃及，所以他们往往以古代埃及的情形来概括一切东方国家。治水问题到现在还是埃及中心问题，而为其异于他国之特点，他们昧于东方各国的历史，便把埃及这一特点普遍化，套在一切东方国家的头上。这些学者的意见，可归纳为四点：

第一，灌溉对于东方经济有决定的意义。

第二，东方经济注重水的调节，而为有组织有计划的经济。

第三，因为治水要有组织，要有特殊技术，所以才产生国家，产生有学问的能治水的官僚。

第四，这种国家不是保护任何特殊利益的机关。

这四点以各种不同的形式出现于各家的著作中，甚至有些唯物论者也落入这种圈套，世界驰名的经济学家瓦尔加（Varga）就是其中之一。他说：

> 中国中央与地方的政权是由于调节水道，防止水患，及灌溉田亩等等需要而发生的，因此，中国国家的政权，完全带有和平的性质。结果，在中国组织了一种特殊形式的统治阶级。这种特殊形式在欧洲是没有见过的，叫做士大夫阶级。（拉狄克 [Radeck]《中国历史之理论的分析》三五页）

还有一位维特福格尔，见解也是如此。他说：

> 黄河与扬子江……自古即促成河道工程官僚政治。……支配中国的自然力是大河巨川，所以，随着农业的发达，河道工程官吏的势力

> 不能不增加起来。名声啧啧的禹，其最大功绩即在于调制河流，整顿山川。……九河清其水源，九湖筑以堤防……全国遂于和平之中。（《新生命月刊》第三卷第八号）

这些有名的学者，口角上喷出来的涎沫，自然濡染到中国人的笔尖上，陶希圣便是接受这涎沫的一个人，他在《中国封建制度之消灭》一文中说：

> 汉代以后，治河通渠成了中央与地方政府的要政。治河工程当然需要大量人口集合的劳动……所以，严正明了的划分土地为独立的庄园，便不可能。……因此，我们可以说：灌溉农耕的通行，是封建制度所以崩坏的决定原因之一。（《新生命月刊》第二卷第五号）

引了这些话，似乎去本题稍远。但在这里必须严重的指出：埃及自然环境与中国不同。埃及雨量过少，除了尼罗河水所能直接灌溉的地方以外，都是瀚海流沙。

所以，埃及人眼中的尼罗河，简直是“百谷的创造者”，“能给埃及以生命”！在尼罗河两岸，开掘无数的沟渠，来利用这可怕而又可贵的洪水，便是埃及人生活的中心。结果，不得不以高度的技术，详细的计划，把尼罗河流域的一切居民都组织起来，以集体劳动来施行人工的灌溉。没有尼罗河及其沟渠，就没有埃及，这是埃及治水问题的本质。

中国情形与埃及两样：河流交错，雨水适宜，可以说是天然优美的农业国。黄河流域为中国古代文化的摇篮，实因得天独厚有以致之，用不着多用人力去与自然争斗。人工灌溉本是不经常的事，正如杜博洛夫斯基（Dubrovsky）所说：“在亚洲国家中，并不是到处和什么时候，都有过灌溉制度。”（《亚细亚生产方式，封建制度，农奴制度及商业资本之本质问题》一八二页）即以秦之“郑国渠”而论，乃我国历史上所大书特书者，“用注填阏之水，溉泽卤之地”，仍不过“四万余顷”而已。（《史记 · 河渠书》）这件事在周代建国之后，当然与我国政权无关。纵谓黄河为患甚早，但堤防工程算不得什么重要的政务，并不能左右全局，也未曾发生过掌握国家大权的治水官僚。在这样与埃及根本不同的情形之下，那能建立——也决不会建立——治水的和平的超阶级的政权呢？

由此看来，可知治水问题不是中国历史之锁钥。

氏族世袭与父子世袭

夏代另一件大事，就是“家天下”问题。即是说，从夏禹起，尧舜“传贤”之局一变而为“传子”之局了。自禹至桀凡十七世，除仲康与帝扃两人以弟继兄外，其余都是父子相承。这确是氏族政治制度时期中一大变革。

本来，尧舜“传贤”之局，并不是从天外拉一个人来做酋长，归根结局，彼此仍是黄帝的子孙，换言之，所谓“传贤”，即是氏族的世袭，参看下列系统表便明白了。

（一）黄帝
- 玄嚣—蟜极—（三）帝喾—（四）尧
- 昌意—（二）颛顼
  - 穷蝉—敬康—句望—桥牛—瞽叟—（五）舜
  - 鲧—（1）禹—（2）启
    - （3）太康
    - （4）仲康—（5）相—（6）少康—（7）予—（8）槐—（9）芒—（10）泄
      - （11）不降—（14）孔甲—（15）皋—（16）发—（17）桀
      - （12）扃—（13）廑

上表是根据《史记·三代世表》改制的，照此看来，“传贤”与“传子”的区别，不过一是氏族的世袭，一是父子的世袭而已。况且，在禹“传子”之前，已有父子相承的先例。《五帝本纪》上明明载有“帝喾崩而挚代立”。当尧择人嗣位之际，放齐曾以“嗣子丹朱开明”对，可见父子相承，并非当时习俗所绝对不许。而舜在尧崩之后，必避尧之子于南河之南，禹在舜崩之后，必避舜之子于阳城，以待朝觐，讼狱，讴歌之来归，尤可想见当时父子的世袭已有压倒氏族的世袭之趋势，否则舜避尧之子与禹避舜之子，都为无意识的举动了。

然而禹亦非反对“传贤”主张“传子”的人，据《史记·夏本纪》，“帝禹……以天下授益，三年之丧毕，益让帝禹之子启，而避居箕山之阳。禹子贤，天下属意焉……益之佐禹日浅，天下未洽，故诸侯皆去益而朝启，曰：吾君帝禹之子也，于是启还即天子之位”。如果这段话不错，我们可以说：启之继禹也无异经过氏族选举，假使诸侯不属意于启，则“家天下”就不能实现了。

在两种趋势——氏族世袭与父子世袭——对抗的

局面中，毕竟不是容易解决的事。说“启与友党攻益而夺之天下”（《韩非子 · 外储篇》），固属一面之词，未可信以为真。但有扈氏为拥护氏族的世袭反抗父子的世袭之人，却是无疑的事实。如：

《淮南子·齐俗训》上说：“昔有扈氏为义而亡（有扈，夏启之庶兄也。以尧舜举贤，禹独与子，故伐启，启亡之）。”

《史记 · 夏本纪》上说：“有扈氏不服，启伐之，大战于甘……遂灭有扈氏，天下咸朝。”

至今《甘誓》一篇，尚列于禹贡之后，足征启曾用武力肃清反侧，有扈氏遂与氏族的世袭制度同归于尽了。以后，大康失国，羲和废职，后羿寒促阴谋篡夺，也许都是对“传子”的反动吧！新制度成立之不易，即此已见一斑。

无论如何，旧制度——传贤——及禹之身而变革却是事实，所以，禹不免受“私天下”之谤。《新序·节士篇》上说：“禹问伯成子高曰：昔者尧治天下，吾子立为诸侯；尧授舜，吾子犹存焉；及吾在位，子辞诸侯而耕，何故？子高曰：昔尧之治天下，举天下而传之他人，至无欲也；择贤而与之，至公也；舜亦犹然。今君之所怀者私也，百姓知之，贪争之端，自此起矣，德自此衰，刑自此繁矣；吾不忍见，是以野处也。”这一段话，简直指出禹有私天下之心。

父子相承的社会背景

可是这种说法，还不是从唯物的观点上来解答问题。我们相信父子相承制度，是父系氏族制度成立后的副产物，而父系氏族制度，又是农业——尤其是犁耕农业——发展到相当阶段的“宁馨儿”。《越绝书》上有“禹穴之时以铜为兵”之说，《禹贡》亦言“厥贡惟金三品，注称金三品，即金银铜”。所以，一般人都以为禹时已开始用铜器，农业的进步可想而知了。以下是证明夏代农业比较发展的史料：

《鲁颂·閟宫》——有稷有黍，有稻有秬。奄有下土，缵禹之绪。

《论语·泰伯》——禹卑宫室而尽力乎沟洫。

《论语·宪问》——禹稷躬稼而有天下。

《夏书·禹贡》——百里赋纳总，二百里纳铚，三百里纳秸服，四百里粟，五百里米。

《史记 · 夏本纪》——令益予众庶稻……命后稷予众庶难得之食。

夏代农业达到这种程度，当系“平水土”以后所得的成绩。在农业相当发展的基础上便成立了父系氏族制度，在父系氏族制度的基础上便成立父子相承制度。这是夏代世袭政治的经济条件，也是从“传贤”之局过渡到“传子”之局的根本动力。

更有进者：世袭政治的确立，与军事势力影响不无密切关系。禹继舜而有天下，固由于治水有功；同时，禹也做过军事首领，曾有一次誓师讨伐有苗，他具备这些优越条件，自非商均所能望其肩背。益与启的关系，似乎不同。益是掌山泽之官，在禹讨伐有苗之际，曾唱过“惟德动天”“至诚感神”的高调（《虞书·大禹谟》），本是一个和平主义者。启在即位之前，干些什么，虽无史实可证，但就他讨伐有扈的“甘誓”而论，显然摆出十足的军事专家之面孔（《夏书 · 甘誓》）。《孟子》说“启贤能敬承禹之道”，或者指此而言。如果启不懂得军事，他必定照仲康对待羲和的办法，派胤侯承王命出征了（《夏书·胤征》）。以和平主义者的益，自然不是军事专家的启之敌手。“诸侯皆去益而朝启”，这也是其中有力的决定的因素吧。于是乎世袭政治的“戳记”就盖在氏族政治制度之上了。

第六节　殷商政治及其他转变

夏商周的关系

我国史书惯称夏商周为三代，以为这三代完全时期不同，夏最早，商次之，周又次之。本来，就汤灭夏，武王翦商而言，确有王统继承的事实。不过，舜让天下于禹，禹都安邑（即山西解县）；同时，舜又封契于商（《史记·殷本纪》郑注商国在太华之阳），封弃于邰（即陕西扶风县），自契至汤凡十四世，自弃至武王凡二十五世，似乎可以看出夏商周为三个不同的部落，起初是各守封疆，各遂其天然的发展。到了某一时期，才有“汤武革命顺天应人”的事变，王统便由夏而商，由商而周了。惟其是三个不同的部落，所以，个别发展的状况不无差异，这一点王国维也看到了，他说：“夏殷二代文化略同：‘洪范九畴’，帝之所以锡禹者，而箕子传之矣；夏之季世，若胤甲，若孔甲，若履癸，始以日为名，而殷人承之矣。文化既尔，政治亦然……夏殷政治与文物之变革，不似殷周间之剧烈。”（《观堂集林》卷十《殷周制度论》）这种意见，大致是对的。夏代政治在上节已分析过。本节只说明殷商政治一般的情形及其转变的趋势。关于周代则划入封建政治制度范围内去讲。

在这里首先要声明的，关于殷商以前，十分之九是靠间接的史料（书籍），是否完全正确，倘有待于“锄头考古学”之发掘而加以整理。至于殷商则情形不同：一方面有《商书》，《商颂》，《殷本纪》间接的史料，以资参考；另一方面又有许多直接的史料（地下的证据）可为印证，尤其是自一八九九年起在河南安阳西北五里的小屯陆续发掘之龟甲兽骨的破片，引起全世界考古家的注目。据罗振玉的考证，小屯即《史记·项羽本纪》所谓“洹水南之殷虚”，甲骨上的文字就是“殷虚卜辞”，卜辞中所刻殷代帝王之名，与《史记·殷本纪》大同小异，“《史记·殷本纪》载有成汤以来至于帝辛，凡三十传，今见于卜辞者二十有三”（罗振玉《增订殷虚书契考释》卷一《帝王第二》)。有了这些地下的证据，无异把我国古史上的秘室打开，殷商时代的真相，好像图画似的呈现于我们之前。所以，有人说：我国信史应从殷商起。司马迁所说“自殷以前诸侯不可得而谱”者，似乎已有先见之明。(《史记·三代世表》)我们现在便着手分析可以称为信史的殷商时代吧！

殷商的生产技术与经济形式

先说明殷商的生产技术及其经济形式：

为节省篇幅起见，特从郭沫若《卜辞中之古代社会》上摘录一段如下：

> 一、商代是金石并用的时代(有石器与青铜器而无铁器)。
>
> 二、产业状况已经超过了渔猎时代，而进展到牧畜的最盛时期。
>
> 三、农业已经发现，但尚未十分发达。
>
> 四、在农业界的一隅已经有商行为的存在，然其事尚在物物交易与货币交易之推移中。

以上四项，再总结一句，便是商代的产业是由牧畜进展到农业的时期。(《中国古代社会研究》二五四页)

郭沫若的书，依我看来，本有许多严重的错误。但上述的一段，除第三条估量过低外，其余尚属正确。关于第三条，李季亦表示过不同意(《对于中国社会史论战的贡献与批判》九六——一〇一页)，不过我以为李季所提的反证仍嫌不足，而且李季所以反对郭沫若，无非企图证明什么“自殷至殷末为亚细亚的生产方法时代”，这一点，亦是我“期期以为不可”者。

殷商时代的农业果未十分发达么？请看真凭据。

《汤誓》——今尔有众，女曰：我后不恤我众，舍我穑事而割正夏(《史记·殷本纪》亦同)。

《仲虺之诰》——肇我邦于有夏，若苗之有莠，若粟之有秕。

《孟子·滕文公下》——汤居亳，与葛为邻，葛伯放而不祀。汤使人问之曰：何为不祀？曰：无以供牺牲也。汤使遗之牛羊，葛伯食之，又不以祀。汤又使人问之曰：

何为不祀？曰：无以供粢盛也。汤使亳众往为之耕。

《伊训》——敢有殉于货色，恒于游畋，时谓淫风（指游畋为淫风，自然不是游畋时期的习惯——编者注）。

《盘庚上》——若农服田力穑，乃亦有秋。……惰农自安，不敢作劳，不服田亩，越其罔有黍稷。

《无逸》——昔殷王中宗（大戊）……其在高宗（武丁）……其在祖甲……自时厥后，文王生则逸，生则逸，不知稼穑之艰难，不闻小人之劳。

《商颂·殷武》——天命多辟，设都于禹之绩，岁事来辟，勿予祸适，稼穑匪懈。

《殷本纪》——帝纣……厚赋税以实鹿台之钱，而盈巨桥之粟。

《泰誓上》——惟受（纣）罔有悛心……遗厥先宗庙弗祀，牺牲粢盛，既于凶盗，乃曰：吾有民有命……

《武成》——乃反商政……散鹿台之财，发巨桥之粟。

《洪范》——土爰稼穑……岁月日时无易，百谷用成。

我想看了这些真凭实据，总不应该说，殷商农业尚未十分发展。如果以为这些都不是直接的史料，那么，请看甲骨文里说了一些什么。从郭沫若的书上仍可找出例子来。

> 从种植一方面来说，于文字上有圃，有囿，有果有树，有桑有栗。和种植相关连的工艺品则有丝，有帛，大抵养蚕的方法在当时是已经发明了的。
>
> 从耕稼一方面来说，则有田，有畴，有禾，有啬，有黍，有粟，有米，有麦。和耕稼相关连的工艺品则有酒，有鬯……
>
> 禾黍的种植，在当时已很视为重要，有不少的“卜黍受年”的记录，如：
>
> “庚申卜贞我受黍年，三月。”
>
> “乙未卜贞黍在龙囿，春受有年，二月。”
>
> “己酉卜黍年有正。”

"戊戌贞我黍年。"

其卜风雨时，也有特别书明是为禾稼而卜的，但是为数极少。

"庚午卜贞禾之及雨，三月。"

"贞今其雨不佳穑。"

殷室的帝王也有"观黍"的记录，"相田"的记录。

"观黍。"

"丙辰卜永贞乎（呼）相田。"

（以上见《中国古代社会研究》二四六——二四七页）

这些都是"锄头考古学"掘出来的真凭实据，不惟未推翻书籍上的证据，反而将书籍上的证据通通证实了。我们敢十分相信，殷商时代的农业已有相当的发达。固然不能说当时的农业已压倒牧畜（因卜辞中用牛羊作牺牲其数有一次多至三百四百者），但《孟子》与《泰誓》

上都以牺牲与粢盛相提并论，可见农业并不怎样落后。

为指出郭沫若对于殷商农业估量过低，竟费了相当的篇幅，这自然不是争持农业的“地盘”，而是因为郭沫若关于殷商社会组织上认识的错误（如群婚制，母性的中心社会等等），实从把农业估量过低出发的。我们在分析殷商政治之先，尤其要辨明这一点。

殷商氏族政治与君位继承问题

殷商既是部落之一，当然仍是氏族政治。《殷本纪》载“自契至汤八迁”，固未说明迁的原因，我想与游牧有大关系。但传到汤的时候，农业一天天发展起来，参考前面所引的证据，如《汤誓》，《仲虺之诰》，《孟子 · 滕文公下》，便明白了。因农业之蒸蒸日上，就不得不东向而夺取河南山东一带黄土层的地盘，于是汤征诸侯（孔安国说，为夏方伯，得专征伐），伐葛，伐昆吾，伐桀，伐三鬯……（《殷本纪》）“十一征而无敌于天下”（《滕文公下》），顺天应人的革命之旗，便招展于黄河之滨了。以半畜牧半农业之部落，出而与黄土层的农业部落相角逐，前者剽悍善战，远出后者之上，所以，商汤便成了时代的宠儿。儒家加以润饰，就把这件事形容得无以复加，说是："东面而征西夷怨，南面而征北狄怨……民望之，若大旱之望云霓也。归市者不止，耕者不变。诛其君而吊其民，若时雨降，民大悦。"（《孟子·梁惠王下》）谁料儒家所夸张的盛事，竟是为黄土层的地盘而战呢？

一般人认为殷商政治有一个特别现象，就是君位继承，采用兄终弟及之制。这似乎是与夏代父子相承之制度相反。郭沫若重视这一点，又以卜辞中有"多母""多父""先妣特祭"……之征迹，认为殷代犹保存彭那鲁亚家庭群婚制之遗习，认为商代还是母性中心（《中国古代社会研究》八——十页，又二六七——二七五页）。陶希圣亦有与此类似的意见，甚至以族外婚制是商所没有的（《中国政治思想史》第一册七——十一页）。如果这种推论不错，那么，殷商在历史发展的阶段上，不免回到蒙昧时代了。自然，在某种意义上，我也承认殷商比夏代落后，但落后也决落不到如此之远。我们有什么证据说金石并用的殷商是蒙昧时代呢？李季尽管有些地方不同意郭沫若的说法，然而他却一口咬定"自商以前至商末为原始共产主义的生产方法时代”，这也是我“期期以为不可”者。现在揭载殷商世数异同表于后，看看所盛行的是否为兄终弟及之制。（《中国古代社会研究》二七二——二七四页）

帝名	与先世之关系			
	《殷本纪》	《三代世表》	《古今人表》	《卜辞王氏表》
汤	主癸子	同	同	一世
大丁	子	同	同	汤子（二世）
外丙	弟	同	同	
中壬	弟	同	同	
太甲	大丁子	同	同	大丁子（三世）
沃丁	子	同	同	
大庚	弟	同	同	太甲子（四世）
小甲	子	弟	子	
雍已	弟	同	同	
大戊	弟	同	同	大庚子（五世）
中丁	子	同	弟	大戊子（六世）
外壬	弟	同	同	
河亶甲	弟	同	同	
祖乙	子	同	同	中丁子（七世）
祖辛	子	同	同	祖乙子（八世）
沃甲	弟	同	同	
祖丁	祖辛子	同	同	祖辛子（九世）
南庚	沃甲子	同	同	
阳甲	祖丁子	同	同	祖丁弟（十世）
盘庚	弟	同	同	阳甲子（十世）
小辛	弟	同	同	盘庚弟（十世）

续表

小乙	弟	同	同	小辛弟（十世）
武丁	子	同	同	小乙子（十一世）
祖庚	子	同	同	武丁子（十二世）
祖甲	弟	同	同	祖庚弟（十二世）
廪辛	子	同	同	
庚丁	弟	同	同	祖甲子（十三世）
武乙	子	同	同	
大丁	子	同	同	
帝乙	子	同	同	
帝辛	子	同	同	

根据上表统计下来，知道：

《殷本纪》有三十一帝，其中子十八，弟十三。

《三代世表》有三十一帝，其中子十七，弟十四。

《古今人表》有三十一帝，其中子十七，弟十四。

《卜辞王氏考》本十八帝，其中子十四，弟四。

无论根据何种计算，都证明兄终弟及居少数，父子相承居多数，决不能以少概多。何况兄终弟及之制在中国历史各朝代里都不免偶然有之，清季亦然，我们能说清代是彭那鲁亚家庭么？即以汤之先世而论：按《殷本纪》所载，由契而昭明，而相土，而昌若，而曹圉，而冥，而振，而微，而报丁，而报乙，而报丙，而主壬，而主癸，而天乙（成汤），共十四代，都是父子相承，这又怎样解释呢？我们能说从契至汤是父系制度，从汤至纣是母系制度么？可见殷商君位还是以父子相承为原则，而兄终弟及，不过是一种偶然，或系无子可传，或系有子因故不能传，故沿用从前兄终弟及的旧习惯，以济父子相承之穷，并非以兄终弟及为原则。

至于“多母”“多父”的征迹，自然不是群婚的证据，而是“诸父”的通称，像《诗经》上所说“既有肥羜以速诸父”，指伯父叔父而言。例如卜辞中有“父甲一牡，父庚一牡，父辛一牡”，罗振玉与王国维都认为即阳甲、盘庚、小辛，是武丁所卜，因三人都是武丁诸父，故都称父（《中国古代社会研究》二六八——二六九页）。正如《前汉书·王莽传》，有“莽……继四父而辅政”之语，确系指诸父而言，如以此断定西汉为群婚制，那就闹成笑话。《卜辞》中多母的骨片，如“祖乙之配曰妣巳，又曰妣庚”，“祖丁之配曰妣己，又曰妣癸”，“武丁之配曰妣辛，又曰妣戊”（见前书二六八页），这是多妻的孑遗，正如罗振玉所说：“诸帝皆一配，祖乙，祖丁，武丁三配者犹少康之有二姚欤？抑先殂而后继欤？不可知矣。”又如“先妣特祭”只能看做从前母性中心的残影，与《小雅·斯干篇》“似续妣祖筑室百堵”之意同，不能执此一端，认为殷商还是母性中心的氏族社会。

关于伊尹放太甲之争论

殷商时代还有一件大事引起后人争论的，那就是伊尹放太甲。《史记·殷本纪》上说：

> 汤崩，太子太丁未立而卒。于是乃立太丁之弟外丙……即位二年崩。立外丙之弟中壬……即位四年崩。伊尹乃立太丁之弟太甲；太甲，成汤适长孙也……帝太甲元年，伊尹作伊训，作肆命，作徂后。帝太甲既立三年，不明，暴虐，不遵汤法，乱德；于是伊尹放之桐宫，三年，伊尹摄行政当国。以朝诸侯，帝太甲居桐宫三年，悔过自责，反善。于是伊尹乃迎立太甲而授之政。

《孟子·万章篇》的说法，与《史记》颇相同，大抵出于《尚书》。孟子且力为伊尹辩护："有伊尹之志则可，无伊尹之志则篡"；又说"伊尹圣之任者也"。而《竹书纪年》上则载有："仲壬崩，伊尹放太甲于桐，乃自立也。伊尹即位于太甲七年。太甲潜出自桐，杀伊尹，乃立其子伊陟伊奋，复其父之田宅，中分之。"

依据上面的引证，关于伊尹放太甲，就有两种不同的争论：一种说他是篡，一种说他不是篡。正如伊尹之出身一样，有的说是"伊尹以割烹要汤"，有的说是"伊尹受汤之聘"，使人弄不清楚。

近来陶希圣又有第三说，以为伊尹是当时的僧侣，其放太甲，乃教权与王权争斗。所举的证据如下：

（一）伊尹以割烹要汤的传说或者是从伊尹为商族主宰畜类的僧正这件事传讹的。

（二）太甲杀伊尹后，仍须立其二子，表示世袭僧权之大。

（三）"成汤既受命，时则有若伊尹，格于皇天。"（《尚书·君奭篇》）所谓格于皇天，明明是僧侣的职务。

陶希圣既相信伊尹是僧侣，又言伊尹以后，僧侣亦代有其人，名字冠以"巫"的显然是僧侣。如《君奭篇》

载:“在太戊时，则有若伊陟臣扈，格于上帝；巫咸乂王家。在祖乙时，则有若巫贤。”又《殷本纪》载:“伊陟赞言于巫咸，巫咸治王家有成，作咸艾，作太戊。太戊赞伊陟于庙，言弗臣，伊陟让，作原命。”并加以解释，说太戊宣告大僧之“弗臣”，王与僧正的关系可见一斑了。

我以为殷商是氏族社会，并且父系制度已经成立。按《殷本纪》,“契为子姓，其后分封，以国为姓，有殷氏，来氏，宋氏，空桐氏，稚氏，北殷氏，目夷氏”。伊尹不属于殷商氏族，自然无继位之权。他于放太甲时，“摄行政当国。以朝诸侯”，明明是篡。不过在氏族制度之下，他既无力步汤的后尘来一次“革命”，那就只有受制度的拘束，而归政于太甲。所谓“有伊尹之志”与“无伊尹之志”一类的话，仍是儒家的“门面语”。至于陶希圣认伊尹为僧侣，见解虽新，证据太不充分。且就历史发展的顺序，在氏族时代，亦未达到僧侣独立的境界。

氏族政治转变的前夜

在这里更要郑重指出的，氏族社会到了殷商，正处在历史转变的前夜，这即是说，当时氏族社会内部的矛盾已一天天深刻化，约而言之，可分两项：

第一，私有财产已经发生，如贝玉，货宝，攘窃……一类的辞句，颇为流行。例如：

（1）《盘庚中》——兹予有乱政同位，具乃贝玉。

（2）《盘庚下》——朕不肩好货……无总于货宝。

（3）《微子》——殷罔不小大，好草窃奸宄……今殷民乃攘窃神祇之牺牷牲。

（4）《史记·宋微子世家》——彼为象箸，必为玉桮。为桮，则必思远方珍怪之物而御之矣。

再就直接史料——卜辞——说，亦有“锡贝朋”之事，以贝朋锡其臣下，证明贝朋不是公有物而是私有物。

第二，阶级制度已有萌芽，如奴隶，臣仆……一类辞句，颇为流行。例如：

（1）《汤誓》——予则孥戮汝。

（2）《微子》——商其沦丧，我罔为臣仆。

（3）《泰誓》——囚奴正士。

（4）《殷本纪》——箕子惧，乃佯狂为奴。

再就直接史料——卜辞——说，亦有“奚奴臣仆”、

“小臣令众黍”等字，证明奴隶已存在了。

有了私产便将氏族公有制推翻，有了阶级便将氏族平等制破坏。这两把铁帚——私产与阶级——将氏族制度根本因素一扫而空，于是氏族社会就像积雪见了太阳，不得不崩溃了。争夺私产与掠夺奴隶的战争，就在氏族社会的舞台上，一幕一幕的演下去！卜辞上常有三千人，五千人出征的文字，战争之烈，可以想见。

恩格斯说：“财富被人所赞美所尊敬，俨若无价之宝，旧氏族制度反因为财富的强夺行为辩护而弄糟了。这里只欠缺一件事：一种制度不但违反氏族共产主义的传统而保证私人新得的财产，不但把从前那样蔑视的私产认为神怪，把这个神怪财产的保障看为人类社会最高目的；而且又用全社会公认的印子，打到这攫取的财产，不断增加的财富，渐渐发展的新形式上。一种制度不但给新发生的阶级差别而且也给有产阶级剥削与统治无产阶级的权利以永久的性质。这个制度已发现了，国家便活跃出来。”（《家庭，私产，及国家的起源》）

第七节　中国氏族政治的地盘与异族争斗

汉族活动的地盘

我们认定从伏羲到殷末，为氏族政治制度时期，这一时期所活动的地盘，也是应该说明的事。据《史记·五帝本纪》所载："黄帝……披山通道，未尝宁居，东至于海，登丸山，及岱宗。西至于空桐，登鸡头。南至于江，登熊湘。北逐荤粥，合符釜山。而邑于涿鹿之阿。"

又："南抚交趾，北发，西戎，析枝，渠庾，氐羌。北山戎，发，息慎。东长，鸟夷，四海之内，咸戴帝舜之功。"

又《夏本纪》载："东渐于海，西被于流沙，朔南暨，声教讫于四海。于是帝锡禹玄圭，以告成功于天下。"（《禹贡》亦同）

以上三种引证，第一是说黄帝足迹所至，第二第三则是说舜禹声教所及，与我们所指之活动的地盘颇有区别。因为足迹所至，不一定是经常活动的地盘，而声教所及之地，则比足迹所至更广了。

依照吕思勉的考证："帝喾以前，连帝都所在，也是茫昧的……尧舜禹三代都建都在太原，而禹又兼都阳城，到桀还是在阳城的。商周之先，都是从陕西用兵于河南，得手之后，就直打到山东之东部，江苏安徽的北部。至于河南的西南部，湖北的西北部，也是竞争时候紧要的地方。可见古代汉族的实力，在陕西省里，限于渭水流域；在山西省里，限于太原以南；在河北省里，限于恒山以南；河南一省除西南一部外，大概全在汉族势力范围之内；山东的东部，却是异族；江苏安徽的淮河流域，虽是异族，总算是关系较深的；对于湖北仅及汉水流域，江水流域还是没有开辟的地方。”（《白话本国史》第一册九十五页）换言之，中国民族政治活动的地盘，主要的便是黄河流域中平衍的一段，即最著名的“黄土层”。这就是中国历史上的主人翁——汉族文明的策源地。汉族占领这个地盘，便由畜牧过渡到农业。这种优越的地理条件，在历史发展上也是不可忽视的。

黄土层的好处

关于黄土层的好处，沙发诺夫已估计到了。他说：

纪元前二世纪以前的一切中国历史事件，几乎都在黄土地域之内发展起来的，如像直隶，山西，甘肃，山东，陕西，与夫河南之北部等等。同时黄土地质的特性，按农业发展的程度，也日益暴露出来了。黄土地质的实际意义，是根据它的几种最著的特征的。首先就是生产的土地。如果在北中国有较好的气候，那么，从黄土地质分划上看来，黄土地质是世界最肥沃的国家。我们尽可以相信，黄土地质在古昔，是高居于一切之上的，即是当着山岳还被森林所遮盖，并且山岳把气候造成潮湿的时候。但因为黄土地质自身的能力容易犁好的土地，种子也要受日光的熏蒸，并且完全不会使种子发芽……黄土地质的另一种主要性质，就是便于建筑廉价的居室，中国大多数人民都要利用它。(《中国社会发展史》四九页)

黄土层在地理条件上的优越，我国古籍中也有记载。如：

《禹贡》——冀州……厥土惟白壤；兖州……桑土既蚕，是降丘宅土，厥土黑坟，厥草惟繇，厥木惟条；豫州……厥土惟壤，下土坟垆。

《周礼·职方氏》——河南曰豫州……其利林漆丝枲……其畜宜六扰，其谷宜五种；河东曰兖州……其利蒲鱼……其畜宜六扰，其谷宜四种；河内曰冀州……其利松柏……其畜宜牛羊，其谷宜黍稷。

《史记·货殖列传》——昔唐人都河东，殷人都河内，周人都河南。夫三河在天下之中，若鼎足，王者所更居也，建国各数百千岁，土地小狭，民人众，邻国诸侯之所聚会。

至于《诗经·国风》所描写的林竹之美，桑麻之茂，也与现时黄河流域景象不同。例如：

《卫风》——瞻彼淇奥，绿竹猗猗。(《淇奥》) 桑之未落，其叶沃若。(《氓》)

《王风》——绵绵葛藟，在河之浒。(《葛藟》) 丘中有麻……丘中有李。(《丘中有麻》)

《郑风》——山有扶苏，隰有荷华……山有桥松，隰有游龙。(《山有扶苏》)

《魏风》——十亩之间兮，桑者闲闲兮。(《十亩之

间》）坎坎伐檀兮，置之河之干兮。（《伐檀》）

《唐风》——椒聊之实，蕃衍盈升。（《椒聊》）有杕之杜，其叶湑湑。（《杕杜》）

《陈风》——东门之杨，其叶牂牂……东门之杨，其叶肺肺。（《东门之杨》）

《桧风》——隰有苌楚，猗傩其枝……猗傩其华……猗傩其实。（《隰有苌楚》）

像这类的句子，不知有多少。我们可以想见古时黄河流域，决不似目前童山濯濯，沙土漫天的萧条景象。

汉族与异族争斗

黄河流域既是这样的肥美，自然为异族所必争，于是“为地盘而战”，就史不绝书。而汉族文明便与“铁血”融成一片了。

《史记·五帝本纪》——黄帝……北逐荤粥。

《大禹谟》——帝曰咨禹，惟时有苗弗率，汝徂征。

《商颂》——昔有成汤，自彼氐羌，莫敢不来享，莫敢不来王。

《周易·既济》——高宗伐鬼方，三年克之。

氏族社会战争之烈，卜辞中亦有许多证据，郭沫若曾指出下面两项（《中国古代社会研究》二八一页）：

（A）殷民族的敌人——殷民族的根据地在现在河南的流域一带，其四围之敌人有土方，吕方，羌方，井方，洗方，人方，马方，羊方，苴方，林方，二封方，三封，盂方，下勺，粪方等族。就中土方与吕方二者与殷人所发生的关系最多，战争也最频繁，最剧烈。均远在殷之西北郊，当即猃狁之二族。

（B）参加战争的人数——人数至多有上五千者，其次为三千，其余多不言人数。

不论根据间接史料或直接史料，都证明黄河流域为汉族与异族长期争斗的地盘，汉族拼命牺牲，才将这块地盘维持到今日。如果当时抱什么“不抵抗主义”的话，那么，今日之域中，不知竟是谁家之天下哩！

汉族克服异族之后，已成为天之“骄子”；而黄土层的肥美，不独适于农业的耕种，而又适于农民的剥削。这些条件创造了剩余的生产品，于是氏族制度便注定它的死灭，历史的车轮不得不向前推进，比氏族制度更高一级的封建制度，就一跃而登历史之舞台了。

第八节　中国氏族时期的意识形态

在前面第一章第二节内，曾说过："政治制度可以决定意识形态，而意识形态亦可影响政治制度。……要了解政治制度的成立与变革，就不能把意识形态置之度外了。因此，意识形态也成了政治史范围内之一部分，我们可称为政治的反映。"现在已将中国政治制度讲了一个段落，关于这种政治制度下的意识形态，不能不作一个扼要的叙述。

宗教信仰问题

首先应说明"宗教信仰"问题。非宗教造人，而是"人造宗教"，本是唯物论者证明的真理。一般说来，"灵魂不死"之说，为古代宗教的滥觞。波格达诺夫（Bogdanov）则谓"灵魂是从权威的因果性之基础上发生的，并且是权威的因果性扩大应用的结果"（意谓在家长制发生之后，家长专司组织者的任务，其族人则分担实行劳动者的任务，构成所谓权威的共同劳动。在这种劳动关系中间，含有必然的因果性，即组织者的命令必然唤起实行劳动者的行为）。我在拙著《通俗宗教论》上曾写了下面一段话：

> 人类在权威的共同劳动的基础上，产生灵魂不死的观念；由灵魂不死的观念，扩大而成万物有灵说；这些见解一经成立，必然渐渐由社会关系而综合起来成为宗教的信仰。宗教最初形式是“崇拜祖先”……于是远祖的模样，便在子孙的意识里成长起来，而具超人的形像，祖先崇拜终于神化了。由祖先崇拜，推广到“庶物崇拜”，于是山有山神，水有水神，火有火神，风有风神……了。自然界也人格化了。中国古代，天子祭天地，诸侯祭山川，大夫祭社稷，便是庶物崇拜的孑遗，便是把天地，山川，社稷，依然当做有人格的神看待。

中国氏族时期的宗教

说明了宗教发生的一般原则，再来叙述中国氏族制度时期的宗教。

伏羲画卦，固然是一种传说，但不能说它“无因”。不过在这里要声明的，关于《周易》上那一串大道理，不全是氏族社会的产物，因为文王，周公，孔子所加的“成分”，便是以后的事。郭沫若以为“八卦的根底我们很鲜明的可以看出是古代生殖器崇拜的孑遗。画一以像男根，分而为二以像女阴，所以由此而演出男女，父母，阴阳，刚柔，天地的观念”（《中国古代社会研究》二七页）。又说：“大抵宗教实起源于生殖崇拜，其事于‘骨文’中大有启示，如祖先崇拜之祖妣字，实即牡牝器之象征（骨文祖字作‘且’，‘妣’字作‘匕’），一切神祇均称‘示’，示字作‘丅’或‘示’，实即生殖器之倒悬。又如上帝之帝，本像花蒂之形，其意亦重在生殖。……于此有略当申论者，则原人眼中之宇宙实则为一神秘不可思议的宇宙，俨若万事万物均为神祇，观其每事必卜，而每卜必仰之于龟甲兽骨，则可得其仿佛。然卜辞中之社会已有阶级产生，故卜辞之神祇亦已有‘上帝’出现。卜辞言帝之事，虽有而罕见，帝之性质无可多言，惟据《山海经》则帝即帝俊，即殷人之先祖帝喾，则上帝自为人格神无疑。且上帝崇拜，必即祖先崇拜之延长，亦必即生殖崇拜之扩大。”（《中国古代社会研究》二九〇——二九一页）这两段话，是可供参考的。

尊祖与祭天

“尊祖”本我国氏族社会最有权威之习俗，到现在依然牢不可破。“物本乎天，人本乎祖”（《礼记·郊特牲》），“神不歆非类，民不祀非族”（《左传·僖公十年》），“非其鬼而祭之，谄也”（《论语·为政篇》）……一类的陈言，于古籍中随在可见。兹仅就氏族制度时期的文献，摘举数项于下：

《舜典》——正月上日，受终于文祖（文祖者，尧始祖之庙）。……归格于艺祖用特。

《大禹谟》——正月朔旦，受命于神宗（神宗，尧庙也）。

《五子之歌》——皇祖有训……明明我祖，万邦之君，有典有则，贻厥子孙。

《伊训》——奉嗣王只见厥祖……乃明言烈祖之成德，以训于王。

《太甲上》——辟不辟，忝厥祖。……率乃祖攸行。

《太甲中》——王懋乃德，视乃烈祖，无时豫怠。

《盘庚上》——兹予大享于先王，尔祖其从与享之，作福作灾，予亦不敢动用非德。

《盘庚中》——高后丕乃崇降罪疾，曰：曷虐朕民……先后丕降与汝罪疾，曰：曷不暨朕幼孙有比……乃祖乃父，乃断弃汝，不救乃死……迪高后丕乃崇降弗祥。

《说命下》——佑我烈祖，格于皇天。

《商颂》——衎我烈祖……顾予蒸尝，汤孙之将。

像这类的句子，是举不胜举的。至于卜辞上有尊祖的证据，更不必说了。在中国氏族制度时期，崇拜祖先是如何的盛行呵！

与崇拜祖先相因而生的则为“庶物崇拜”，古籍中亦有不少的材料，如：

《舜典》——望于山川，遍于群神。

《汤诰》——告无辜于上下神祇……敢用玄牡，敢昭告于上天神后。

《伊训》——山川鬼神，亦莫不宁。

《太甲上》——先王顾諟天之明命，以承上下神祇。

《太甲下》——鬼神无常享，享于克诚。

《咸有一德》——夏王弗克庸德，慢神虐民。

《微子》——今殷民乃攘窃神祇之牺牷牲。

所谓“山河”“鬼神”……一望而知是“庶物崇拜”。

此外，还有“祭天”之说，甚至一般人常将“尊祖”与“祭祖”相提并论。本来，如“天命殛之”(《汤誓》),“上天孚佑下民”(《汤诰》),“天作孽，犹可违”(《太甲》),“非天夭民，民中绝命”(《高宗肜日》),“天命玄鸟，降而生商”(《商颂》)……一类的话，也散见各处。不过认为氏族社会末期，已开“祭天”之端，还说得过去；如谓在整个氏族社会，“祭天”与“尊祖”一样的普遍流行，似乎与宗教进化的过程不合。因为“天”或“上帝”这一类的东西，是一神教（Monotheism）的范畴，而一神教只是国家成立后——至少在国家成立的过程中——的产物。诚以“天上之社会与天上之政府，是依照人类的社会制度与它的政府而造成的”（Tylor 语）。这一点，陶希圣与我的意见相同，他说：

天与祖在商族的信仰上谁重谁轻？我疑以

为商族是重祖的……试看盘庚告诫诸贵族的话……都是表示商族的信仰，是祖先能作福降灾，祸福并不由于天。直到周初，周公为武王求病好，仍然是向太王、王季、文王来祷而不祷于天（《金縢》）。……（《中国政治思想史》第一册一四页）

中国氏族时期的政治思想

其次，关于当时的政治思想，一般人每以《洪范》一篇为代表，据说:《洪范》是禹治洪水时所得的洛书，所谓“天乃锡禹‘洪范九畴’，彝伦攸叙”者是也。武王克殷之后，放于箕子，箕子一五一十的向武王陈诉出来。“洪范九畴”是天予“天子”治国平天下的大法。一五行，二五事，三八政，四五纪，五皇极，六三德，七稽疑，八庶征，九五福。固然，郭沫若提出许多证据，说这篇不是伪书，且断定“即使不是箕子所作，但也决不会是东周以后的儒者所假造”（《中国古代社会研究》一四八——一四九页）。不过，我认为这样一个严整的系统，的确不像氏族社会的意识形态。

本来，在目前要把氏族社会的政治思想，作一个详明的分析，就间接材料言则“书缺有间”，就直接材料言则尚待发掘，无论如何，不能得到圆满的结果。然而零碎的证据是有的。依照恩格斯的断定，说氏族制度，一切都是自由平等，此时尚无奴隶，也无压迫其他部落的事情发生（见本书第三章第二节）。那么，中国旧书上所谓“不识不知，顺帝之则”（《皇矣》）；所谓“天生烝民，有物有则，民之秉彝，好是懿德”（《烝民》）；所谓“日出而作，日入而息，耕田而食，凿井而饮，帝力何有于我哉”（《古击壤歌》）；不言而喻的就是氏族生活的素描。

然而可供参考的证据，还不止此。老子与孔子生在春秋时代，对于当时矛盾紧张的社会，深深表示不满，各抱一种乌托邦的政治制度，思以此“易天下”。

老子说：

> 小国寡民，使有什佰之器而不用，使民重死而不远徙，虽有舟车无所乘之，虽有甲兵无所陈之，使民复结绳而用之，甘者食，美其服，

安其居，乐其俗，邻国相望，鸡犬之声相闻，民至老死不相往来。(《道德经》)

孔子说：

大道之行也，天下为公，选贤与能，讲信修睦。故人不独亲其亲，不独子其子，使老有所终，壮有所用，幼有所长，矜寡孤独者皆有所养，男有婚，女有归。货恶其弃于地也，不必藏于己；力恶其不出于身也，不必为己；是故谋闭而不兴，盗窃乱贼而不作，故外户而不闭，是谓大同。(《礼记·礼运篇》)

总之：老子所梦想的“小国寡民”，孔子所梦想的“大同之世”，自然不是意识着未来有这么一个世界，而是想把历史的车轮扭转，回到氏族社会时代。老子与孔子所梦想的乌托邦，即是氏族政治思想的反映。

第四章　封建政治制度时期（一）

第一节　周代的生产技术与经济形式

周代的生产技术

前面已说过：夏商周为三个不同的部落，起初是各守封疆，各遂其天然的发展。到了某一时期，才有“汤武革命顺天应人”的事变，王统便由夏而商，由商而周了。又引过王国维的意见，说夏殷政治与文物之变革，不似殷周间之剧烈。所以，我们认为殷商是氏族制度的结局，而周初却是封建制度的发端。

商周间变革之剧烈，其原动力自然由于生产技术之不同。商代本是金石并用时期（有石器、青铜器而无铁器），而周代即进到青铜器极盛时期。郭沫若在《周金中的社会史观》一篇上亦用坚决的态度断定周代是在青铜器时代，接着说：

> 这个断案的根据，便是存世的二三千具以上的周金，日常应用的食器多是青铜铸成，而特别可注意的是兵器。存世的铜兵，其时代可以断言的，上则是商代已有勾刀，下则有秦初吕不韦丞相的“诏事戈”。战国时代的铜兵，为数正不暇计数，以铜制兵器正是青铜器时代的特色，这把中国的青铜器时代表示得异常鲜明。便是它的期界，上起殷末，下逮秦汉。有周一代正是青铜器时代的极盛期。……在这时代的期中，当然不能说没有铁器的使用，然而铁的使用，还没有支配到一般的器制。（《中国古代社会研究》二九五页）

关于用铁的证据，古书中亦有二三。如：

《吕氏春秋》——赵氏攻中山，中山之人多力者曰吾丘鸩，衣铁甲，操铁丈以战，所击无不破。

《越绝书》——风胡子对楚王曰，当此之时，作铁丘威服三军，天下闻之，莫敢不服，此亦铁丘之神。

《吴越春秋》——干将作剑，采五山之铁精，六合之精英……其妻莫邪，断发剪爪，投于炉中……鼓橐装炭，金铁乃濡，遂以成剑。

《江淹铜剑赞》——古者以铜为兵，春秋迄于战国，战国迄于秦时，攻争纷乱，兵革互兴，铜既不克给，故以铁足之。

依照这几项记载，大约在春秋战国之际，已用铁做兵器了。用铁做兵器本是后起的事，究竟用铁是何时开始的呢？我国《诗经·大雅·公刘篇》，有“取厉取锻”一语，注云：厉，砥；锻，铁；或许公刘即是第一次用铁的人吧！据莫尔根的研究，冶铁始于野蛮时代高段，公刘为周代的祖先，距文王约有十一代，就历史发展阶段论，是大致符合的。

由此看来，周代是青铜器极盛时期，同时也开始参用铁器——初用做耕器（如孟子说：许子以釜甑爨，以铁耕乎？），以后用做兵器。这一时期的生产技术，便是如此。

周代的经济形式

说到周代的经济形式，谁也知道是以农业为本位的（当然手工业也有基础），关于这类的证据多极了。兹以《史记·周本纪》所载者较有系统，摘举二三如下：

> 周后稷，名弃……弃为儿时，屹如巨人之志，其游戏，好种树麻菽，麻菽美。及为成人，遂好耕农，相地之宜，宜谷者稼穑焉。民皆法则之。帝尧闻之，举弃为农师，天下得其利，有功，帝舜曰，弃，黎民始饥，尔后稷，播时百谷，封弃于邰。
>
> ……公刘虽在戎狄之间，复修后稷之业，务耕种，行地宜，自漆沮渡渭，取材用，行者有资，居者有畜积，民赖其庆，百姓怀之，多徙而保归焉。周道之兴自此始。
>
> ……古公亶父复修后稷公刘之业，积德行义，国人皆戴之。薰育戎狄攻之……乃与私属遂去豳，渡漆沮，逾梁山，止于岐下……古公乃贬戎狄之俗，而营筑城郭室屋，而邑别居之。

从后稷，公刘，以至古公亶父，都是从事农业，可见周这个部落的经济情形，比商已进一步。再参考《诗经》上的材料，其描写的情形亦同。

诞后稷之穑，有相之道，茀厥丰草，种之黄茂，实方实苞，实种实褎，实发实秀，实坚实好，实颖实栗，即有邰家室。(《生民》)

笃公刘，既溥且长，既景乃冈，相其阴阳，观其流泉，其军三单；度其隰原，彻田为粮，度其夕阳，豳居允荒。(《公刘》)

古公亶父，来朝走马，率西水浒，至于岐下，爰及姜女，聿来胥宇。……乃疆乃理，乃宣乃亩，自西徂东，周爰执事。(《瓜瓞》)

关于手工业，远如伏羲之“结网罟”，神农之“斲木”“揉木”，不必说了。殷商为金石并用时代，手工技术之发达，可以想见。说到周代，社会分工一天天趋向专业化。固然《考工记》上所说“凡攻木之工七，攻金之工六，攻皮之工五，设色之工五，刮摩之工五，搏埴之工二”，不大可信，但《尚书·梓材篇》，有“若作梓材，既勤朴斲，惟其涂丹雘”。《豳风》七篇中，有“三之日于耜”，“取彼斧斨，以伐远扬”，“昼尔于茅，宵尔索绹”，“伐柯如何，匪斧不克”等句，都是描写手工业的。《孟子》曾讲到“工师”（使工师求大木），“玉人”（使玉人雕琢之），甚至说，“百工之事固不可耕且为也”，《管子》也讲到“工之子恒为工”，证明手工业到周代已有进一步的繁盛。

我想用不着再引了，既证明周之祖先，历世经营农，而又证明他们手工业大有进步，且“营筑城郭室屋”（聿来胥宇），确已脱离游牧生活。周代的经济发展，实建立了剥削农民的条件。所谓“百姓怀之”，以及什么“国人皆戴之”，自然是骗人的词句，那是我们统治者祖传的“法宝”吧！

井田问题

在这里要附带论及的，便是井田问题。

井田制度仿佛为我国历史上一个“谜”，见于《孟子》，《韩诗外传》，何休《公羊解诂》与《汉书·食货志》

等书，而以何休《公羊解诂》为最详细，兹引数段于下：

《公羊》宣十五年何注——一夫一妇，受田百亩，以养父母妻子，五口为一家，公田十亩，即所谓十一而税也；庐舍二亩半；凡为田一顷二亩半。八家而九顷，共为一井，故曰井田，庐舍在内，贵人也；公田次之，重公也；私田在外，贱私也。（这是分田的方法）

上田一岁一垦，中田二岁一垦，下田三岁一垦。肥饶不得独乐，硗角不得独苦，故三年一换主易居。（这是换田的方法）

种谷不得种一谷，以备灾害。田中不得有树，以妨五谷。庐舍种桑，荻，杂菜。畜五母鸡，两母豕，瓜果种疆畔，女尚蚕织。老者得衣帛焉，得食肉焉。死者得葬焉。（这是耕种的方法）

在田曰庐，在邑曰里，一里八十户，八家为一巷……选其耆老有高德者，名曰父老；其有辩护伉健者为里正；皆受倍田，得乘马……

吏民春夏出田，秋冬入保城郭。田作之时，春，父老及里正，旦开门坐塾上，晏出后时者不得出，暮不持樵者不得入。五谷毕入，民皆居宅。里正趋缉绩；男女同巷相从夜绩，至于夜中，故女工一月得四十五日作，从十月尽正月止，男女有所怨恨，相从而歌，饥者歌其食，劳者歌其事。男年六十，女年五十无子者，官衣食之，使之民间求诗，乡移于邑，邑移于国，国以闻于天子；故王者不出牖户，尽知天下所苦，不下堂而知四方。（这是生活状况）

像这样的一种井田制度，真是一种理想的制度呵！现在我们要解决的问题，就是这种理想的制度，在古时是否存在过？

胡适之是怀疑井田制度的人（见他写给廖仲恺与胡汉民的信），吕思勉对孟子所说的话也不满意（《白话本国史》第一册一三八——一四一页），至于沙发诺夫简直认为根本没有这种东西（《中国社会发展史》二八页）。另一方面，引经据典为井田制度辩护的也有人，如谢无量之《中国古田制度》与日本长野郎之《中国土地制度的研究》，就是代表。

我对于井田制度的意见是如此：说它是怎样完备，固然夸张过火；说它是怎样不可靠，甚至以为是“子虚乌有”，也属矫枉过直。正确的说：中国的井田制度就是俄国的密尔（Mir），德国的马克（Mark），秘鲁的马加（Marca），换言之，就是一种农村公社。

井田制度的发生，大抵是中国氏族社会崩溃的结果。原始农业本是一种烧林农业，农民在烧过的土地上耕种，这里地力已尽，就迁徙别处，同一氏族的人，必须分布到广大的地面上。到了某阶段，分布在氏族边界上那些不同氏族的人，渐渐接触而成村落，这时只能用公社会议的形式来解决一切问题。公社既有共同的利害与共同的管理者，于是不得不有共同的经济来源，以满足公社管理者的需要。因此，公社各成员除耕种自己的土地外，对于公社管理者所需要的土地，必须代其耕种。“公田”便在这种情形之下产生了。所谓“雨我公田，遂及我私”，就是农村公社时代的歌谣吧！在这里更要说明的，这种农村公社，只在氏族社会末期可以保护公社各成员的利益，一到封建时期，尤其是在商业资本相当发展之际，地主残酷的剥削农民，这种公社有时成了地主剥削的机关，恰如佛兰克王国后的马克以及西班牙人征服秘鲁后的马加一样。到了某阶段，地主便要废止农村公社而代以农村私有制，或农奴制。孟子生当战国，农村公社（井田）已经崩溃，所以有恢复井田制度的主张。听了他老先生所说“乡田同井田，出入相友，守望相助，疾病相扶持……”一类的话，便知他热望中的井田制度，就是农村公社的写真！何休更把农村公社，描得“有声有色”活现纸上了。

第二节　西周的封建政治

封建制度的特征

在民族社会内部的矛盾爆发以后，即是说，在私有财产已经发生，阶级制度已有萌芽之后，民族公有制与民族平等制便宣告破产，封建制度便成了新时代的主人，国家这个怪东西便活跃于历史舞台之上。恩格斯说得好：

> 国家与氏族制度不同的，即在它首先把国中各分子按地方而划分。我们知道：团结氏族团体的旧血统关系的联络，现已不生效力，因这种联络是以一切同氏族的人都应住在某一区域为条件的，而这条件在事实上已不复存在了。区域依然如旧，但人类已经变迁，所以，按照区域的划分，就成为国家的发端；公民不管择居何地，无氏族与部落的差别，都要执行他们的权利与义务。这种按区域的居民组织，是一切国家的共同现象。（《家庭，私产，及国家的起源》）

上面一段话，是着重说明国家与氏族制度之不同。详言之，国家即是社会阶级分化以后的产物，而为统治阶级之一种武器。所以，“古代国家是以压迫奴隶为目的的奴隶所有者的国家；同样，封建国家是以压迫农奴及隶属农民为目的的贵族之机关；而近代代议制国家，也是资本家榨取工钱劳动者的工具”（同前书）。

周初建国，开我国政治史上的新纪元，其政治制度是典型的封建时代。这一点，除开郭沫若等几个人（郭以西周为奴隶制）外，大家是没有异议的。不过在剖析周初封建政治之先，应该简单说明封建政治的特征是什么？

《文献通考·封建门》上曾说过："列爵曰封，分土曰建。"这是一种笼统的解释，内容空空洞洞，使人摸不着边际。马克思特别指出："封建式的所有权……凭之以建立的社会组织，其中与统治者相对立的，不是古代的奴隶，而是农奴式的农民。"（《文汇》第一卷）又指出封建的剥削关系，"只有用超经济的压迫，去榨取剩余劳动"（《资本论》第三卷）。杜博诺夫斯基（Dubrovsky）在其所著的《亚细亚生产方式，封建制度，农奴制度及商业资本之本质问题》中说：

> 要解开封建的及农奴的社会的谜，必须在特殊的生产方法中，在直接生产者——农民——与生产条件的占有者，首先就是土地占有者去找。就是那种建立在小自然的农业与家庭手工业联合上的生产方法，及被马克思在

现物地租学说中所表现出来的那些生产关系，是封建制度的特征。（七九页）

封建的生产方法是以农业和家庭手工业的联合为前提。在此种场合下的农民家庭，因为不依系于市场，不依系于生产的变动，不依系于立在他的部分以外的社会的历史运动，而差不多是具有自给的性质。（八一页）

因为自然经济占优势，所以封建制度的特点是非中央集权化及土地占有与土地使用者间的特殊关系，在所谓梯形的政治组织制度上表现出来。但，很明显的，一切这些都是次要的标志……（八四——八五页）

综合上面各种论据，封建的特征有四：

（一）封建的生产方法是以农业和家庭手工业的联合为前提，大抵是自给的性质。

（二）封建的生产关系是地主用超经济的压迫去榨取农奴式的农民之剩余劳动。

（三）封建的社会结构是土地占有者与直接生产者

（农民）的对立。

（四）封建的政治形式是梯形的组织制度（次要的标志）。

西周封建制度的组织

周代祖先，以农为世业。到了古公亶父，邑于岐山之下，营筑城郭室屋而居，即为城市的萌芽。传至文王，受商纣弓矢斧钺之赐，得专征伐，伐犬戎，密须，败耆国，伐邪，三分天下有其二。传至武王，会诸侯于孟津，陈师牧野，灭商而有天下。不待说，这也是在“伐罪救民”的招牌之下，为“黄土层”而战。随着战争的胜利，中国的封建制度——也可说封建国家——便成立了。如果根据这些事实，即断定中国的封建制度是与异族争斗中创造出来的，即是说：封建国家的成立，是从反对外部敌人的争斗中之阶级合作而产生的，这是一种不容许的错误。“因为封建制度时代的战争——无论是防御的或进攻的——应当把它当做剥削者阶级为巩固，发展，或保存自己的统治——主要的是对农民的统治而作残酷的斗争去观察。”（见前书一七九页）周既建国，遂列爵分土，以屏藩周。《史记 · 周本纪》上说：

> 武王追思先圣王，乃褒封，
> 神农之后于焦，
> 黄帝之后于祝，
> 帝尧之后于蓟，
> 帝舜之后于陈，
> 大禹之后于杞。
> 于是封功臣谋士……
> 封尚父于营丘曰齐，
> 封弟周公旦于曲阜曰鲁，
> 封召公奭于燕，
> 封弟叔鲜于管，
> 封弟叔度于蔡，
> 余各以次受封。

这种封建制度，是否稳定呢？《史记 · 周本纪》上说过，“武王至于周，自夜不寐……”，又说，“成王少，周初定天下，周公恐诸侯畔周，公乃摄行政当国，管叔，蔡叔群弟疑周公，与武庚作乱畔周，周公奉成王命，伐诛武庚管叔，放蔡叔。以微子开代殷后，国于宋，颇收殷余民，以封武王少弟，封为卫康叔”。盖借康叔威压殷余民，且对宋加以防范。与以前使管叔，蔡叔，霍叔监武庚，同一用意。所以，易君左说：“周公大封诸侯，其态度依然为武断的，而且不公平的。考武王开国之日，兄弟之国十五，同姓之国四十，周室部族之众，可以想见一斑。然而同时封建之异姓诸侯，其数在千七百七十余国以上。单就数字而论，即如外藩远驾于亲藩，而其实则此等诸侯，不啻为周室当时开拓之中国中原沃地之殖民地，大权皆操于周之部族……其武断的态度，恰如战胜国之临战败国，而施一种殖民政治。”（《中国政治史要》三一页）

中国封建制度，与西欧一样，也是分成若干等级的。据《孟子 · 万章篇》所载：

天子一位，公一位，侯一位，伯一位，子男同一位，凡五等也。君一位，卿一位，大夫一位，上士一位，中士一位，下士一位，凡六等。天子之制，地方千里，公侯皆方百里，伯七十里，子男五十里，凡四等。不能五十里，不达于天子，附于诸侯曰附庸。天子之卿，受地视侯，大夫受地视伯，元士受地视子男。大国地方百里，君十卿禄，卿禄四大夫，大夫倍上士，上士倍中士，中士倍下士，下士与庶人在官者同禄，禄足以代其耕也。次国地方七十里，君十卿禄，卿禄三大夫，大夫倍上士，上士倍中士，中士倍下士，下士与庶人在官者同禄，禄足以代其耕也。小国地方五十里，君十卿禄，卿禄二大夫，大夫倍上士，上士倍中士，中士倍下士，下士与庶人在官者同禄，禄足以代其耕也。耕者之所获，一夫百亩，百亩之粪，上农夫食九人，上次食八人，中食七人，中次食六人，下食五人，庶人在官者其禄以是为差。

这是怎样一个金字塔的组织呵！高踞塔顶的是天子。其次为公，侯，伯，子，男，卿，大夫，士。压在金字塔下的只有农奴。农奴是当时唯一生产者。从天子一直到士，都是靠农奴血液养活的。

压在金字塔下的农奴生活

封建社会对于农奴的剥削，真是名目繁多。孟子所谓“有布缕之征，粟米之征，力役之征”，还不足以尽其种类。诗三百篇中，有许多血迹淋漓的字句。

《七月》——七月流火，八月萑苇，蚕月条桑，取彼斧斨，以伐远扬，猗彼女桑。七月鸣鵙，八月载绩，载玄载黄，我朱孔阳，为公子裳。（这是说养蚕绩麻为公子做衣裳。）……一之日于貉，取彼狐狸，为公子裘。二之日其同，载缵武功，言私其豵，献豜于公。（这是说狩猎的结果，要献于公子。）

《甫田》——倬彼甫田，岁取十千，我取其陈，食我农人。（这是说种田所得，大部分为田主取去，自己只吃陈腐的东西。）

《伐檀》——不稼不穑，胡取禾三百廛兮？不狩不猎，胡瞻尔庭有悬狟兮？（这是说不种田者可以取禾，不打猎者可以得兽。）

《灵台》——经始灵台，经之营之，庶民攻之，不日成之。经始勿亟，庶民子来。（这是说封建徭役。）

《出车》——昔我往矣，黍稷方华，今我来思，雨雪载涂。王事多难，不遑起居。岂不怀归？畏此简书。（这是说被迫出征。）

《硕鼠》——硕鼠硕鼠，无食我黍，三岁贯女，莫肯我顾。逝将去女，适彼乐土，乐土乐土，爰得我所。（这是说赋役繁苛，愿意逃亡。）

够了够了！看了这几首诗，便了解封建农奴所过的不是人民的生活。而古代御用学者——特别是儒家，还装腔作势的说什么“仁政”，“王道”，“民和睦，颂声兴”，以及什么“成康之际，天下安宁，刑措四十余年不用”等等各种各样的歌功颂德的词句，真使人哑然失笑哩！

至于《周礼》（一名《周官》）一书，相传出于周公之手，上自王室，下迄诸侯，大如法制，经济，财政，军事，教育，产业诸端，小至闾门村落，警察卫生各项琐务，都有详悉的记载，有许多人认此书为研究周初政治之宝典。其实本是伪书，显然出于汉人之杜撰，在讨论周初政治时，不足据为典要。

第三节　周代封建矛盾的发展（上）

农奴暴动与贵族德谟克拉西

封建政治本是一个金字塔的组织，压在塔下永久不能翻身的便是农奴。农奴之被榨取，在前节已约略叙述过，这是封建政治之基本的矛盾。因为有了这基本的矛盾，所以，封建秩序颇不易维持，而统治阶级为镇压农奴之反抗，就不得不采用“严刑峻法”了。于是墨，劓，剕，宫，大辟的五刑，便成为钳制农奴的武器。《尚书·吕刑》一篇，至今读之，使人不寒而栗。而统治阶级反说什么“士制百姓于刑之中，以教祗德”（《吕刑》），仿佛严刑峻法不过只是教化农奴之用，这是“蠢如鹿豕”的农奴应该感谢的呵！

本来，周穆王的《吕刑》，一方面是立威，另一方面则为剥削，关于“疑赦”之人，又巧立“以钱赎罪”之名目，所谓“墨辟疑赦，其罚百锾……劓辟疑赦，其罚惟倍……剕辟疑赦，其罚倍差……宫辟疑赦，其罚六百锾……大辟疑赦，其罚千锾”（六两曰锾）者是也。这样一来，农奴就可随时受罚，而统治阶级就可任意剥削。到了周厉王之时，封建政治内部的炸弹，就及时“爆裂”了。据《史记·周本纪》，则有下面一段话：

> 厉王即位三十年，好利，近荣夷公，大夫芮良夫谏……厉王不听，卒以荣公为卿士，用事。王行暴虐侈傲，国人谤王。召公谏曰，民不堪命矣。王怒，得卫巫，使监谤者，以告，则杀之，其谤鲜矣，诸侯不朝。三十四年，王益严，国人莫敢言，道路以目。厉王喜，告召公曰，吾能弭谤矣，乃不敢言。召公曰，是障之也，防民之口，甚于防水，水壅而溃，伤人必多，民亦如之……三年，乃相与畔，袭厉王，厉王出奔于彘……召公周公二相行政，号曰共和。

这确是中国历史上值得大书特书的事变，显然是一幕惊天动地的“农奴暴动”（梁任公以为是市民革命者非也）！这一次暴动，自然是封建制度内部的矛盾之大爆裂，简直把整个封建社会的机构都震动了。然而无组织的农奴，在求生不能求死不得的紧急关头，固能以暴力流厉王于彘，但却不能建立自己的政权，这恐怕是农奴的历史命运吧！所以暴动的胜利，仍被贵族劫去，而压在金字塔下的农奴，依然辗转呻吟，莫由自拔！

道谓“共和”之说，在史书上本有争议，《汲冢纪年》与《鲁连子》都谓当时有共伯名和者在王出奔之日，摄行天子事，故名共和。按《汲冢纪年》与《鲁连子》均是伪书，其说已为《史记正义》所驳斥。我以为《史记》所载“召公周公二相行政”之说较为可信，这本是建立在农奴基础之上的“贵族德谟克拉西”（Democracy of nobility）。恩格斯在《德国农民战争》中曾论到这件事（*The Peasant War in Germany* 九五——九六页），也不是我国历史上的创例。

不过在这里应附带说及的，封建制度内部矛盾的尖锐，势必引起外患的加深；中国北部的游牧人，时常企图南下牧马，本是我国史书上数见不鲜之事。沙发诺夫说得好：“游牧人的干与，总常常发生在中国封建制度自身不能立脚的时候；有时，封建制度甚至号召游牧人来帮助反对已绝望的民众，或者号召他们来排解复杂的后宫的合作。”(《中国社会发展史》二六一页)周代外患不绝，自穆王征犬戎只得四白狼四白鹿以归之后，声威日替;“共和”闭幕以后，宣王曾“败绩于姜氏之戎”，幽王设烽火防寇，更可想见当时外患之急。而幽王以嬖褒姒，废申后之故，以致申侯与缯，西夷，犬戎勾结进攻，幽王举烽火征兵，兵莫至(所谓兵者自然是农奴兵)。于是幽王被杀，褒姒成擒，西周“封建帝国”在内外矛盾同时紧张的时候，便宣告塌台了。幸而有陕西西部一个诸侯——秦襄公——以兵掩护平王东迁洛邑，在东周“封建帝国”以保持残喘。

周室衰微与诸侯的离心运动

周初也是军事封建制度，关于军事的力量，本与疆土一样，是有一定比例的。古有“万二千五百人为军，王六军，大国三军，次国二军，小国一军”之说，依此计算，至多为七万五千人。所有这些军事人员都由农奴的劳动来供养，因此，封地的大小，直接与农业生产品的总额有关，间接与军队的总额有关。东迁以后，周室衰微，而诸侯之间兼并土地的战争，成了家常便饭，所谓“争地以战杀人盈野，争城以战杀人盈城”者是也。兼并土地的结果，酿成尾大不掉之势，周天子终成为“守府之主”，政治组织上的离心运动，如巨石坠危岩一样，不可遏止，这种离心运动也是封建制度内在矛盾之一。

诚然，天子与诸侯的关系，孟子在《告子下》上本说过：

> 天子适诸侯曰巡狩，诸侯朝于天子曰述职。春省耕而补不足，秋省敛而助不给。入其疆；土地辟，田野治；养老尊贤，俊杰在位；则有庆，庆以地。入其疆；土地荒芜，遗老失贤，掊克在位，则有让。一不朝则贬其爵；再不朝，则削其地；三不朝，则六师移之。

这一段话，说得多么有声有色，然而毕竟是废话！谓予不信，请看事实吧！按《史记·周本纪》载有：

> 桓王十三年，伐郑，郑射伤桓王。

惠王二年……大夫边伯等五人作乱，谋召燕卫师，伐惠王，惠王犇温。

（襄王）十三年，郑伐滑，王使游孙伯服请滑，郑人囚之。

（襄王）二十年，晋文公召襄王，襄王会之河阳践土。

定王元年，楚庄王伐陆浑之戎，次洛，使人问九鼎。

（敬王）十六年，子朝之徒复作乱，敬王犇于晋。

（显王）四十四年，秦惠王称王，其后诸侯皆称王。

所谓“射王”，“召王”，“王出犇”，“诸侯皆称王”……证明周天子已屈服于诸侯之下了。为什么如此？答案很简单，就是：周室东迁，版图日蹙，既无广大的农奴可供剥削，自然不能豢养六军以壮声威，所以，不得不拱手听命于诸侯。富辰所说“凡我周之东徙，晋郑焉依”（《史记》），便是公开的自白。

另一方面，从前那些坐拥三军，二军，一军的诸侯，不断的攻城掠地，军事力量也日益强盛起来。到了战国之时，情形大变，试一翻《史记·苏秦列传》，便使人惊异了！苏秦说六国君，曾说："燕……地方二千里，带甲数十万，车六百乘，骑六千匹，粟支数年。……赵地方二千余里，带甲数十万，车千乘，骑万匹，粟支数年。……韩……地方九百余里，带甲数十万，天下之强弓劲弩，皆从韩出。……魏……武士二十万，苍头二十万，奋击二十万，厮徒十万，车六百乘，骑五千匹。……齐地方二千余里，带甲数十万，粟如邱山。……楚……地方五千余里，带甲百万，车千乘，骑万匹，粟支十年。"在列强争霸的局势之下，奄奄一息的周天子，还能"独振乾纲"吗？

特别要注意的，各诸侯为兼并土地而战争（这是诸侯相互间矛盾），战争又破坏了农业经济，土地枯竭，饥馑荐臻，以致封建时代唯一生产阶级的农奴，颠沛流离，不得死所。墨子说得好：

今天下好战之国——齐晋楚越——若使

四国者得意于天下，此皆十倍其国之众，而未能食其地也。是人不足而地有余也。……今又以争地之故，而反相贼也。然则是亏不足而动有余也。(《非攻下》第十九)

所有这些事实，证明封建诸侯的战争，不能使封建制度日趋巩固，反而削弱了封建的基础——农业经济，这即是说，战争使封建社会的矛盾加深了。

第四节　周代封建矛盾的发展（下）

诸侯与其臣仆之间的矛盾

封建政治既像一层压一层的金字塔，同时，封建制度内在的矛盾，也像剥茧抽丝一样，层出不穷。诸侯与天子间的矛盾，上面已叙述过。诸侯之下怎样呢？依照历史家的说法，有“春秋之局凡三变：隐桓以下，政在诸侯；僖文以下，政在大夫；定哀以下，政在陪臣”。可见诸侯与其臣仆之间的矛盾，正与诸侯与天子之间的情形相同。

现在且举几件事实吧！按《史记·十二诸侯年表》所载，有：

桓王八年，鲁公子翚弑其君隐公。

桓王十年，宋华督弑其君殇公。

桓王二十二年，秦三父弑其君出公。

庄王二年，郑高渠眯弑其君昭公。

庄王十二年，齐人管至父、连称等弑其君襄公，而立公孙无知……齐雍廪杀无知、管至父等而立齐桓公。

惠王十七年，鲁庆父弑其君湣公。

襄王元年，晋献公卒，立骊姬子奚齐，其臣里克杀奚齐；荀息立卓子，克又杀卓子及荀息。

襄王二十六年，楚太子与傅潘崇弑成王。

匡王二年，宋卫伯弑其君昭公。

匡王六年，晋赵穿弑其君灵公。

定王二年，郑公子归生弑其君灵公。

定王八年，陈夏征舒弑其君灵公。

简王十三年，晋栾书中行偃弑其君厉公。

灵王六年，郑子驷使贼弑其君厘公。

景王二年，蔡太子弑其君景公。

景王四年，楚公子围，弑其君而自立，是为灵王。

景王十六年，楚弃疾，作乱自立，是为平王。

敬王六年，晋六卿诛公族，分其邑，使其子为大夫。

敬王十年，曹平公弟通，弑其君襄王而自立。

敬王二十九年，蔡大夫共弑其君昭侯。

敬王三十一年，齐臣田乞弑其君孺子，立其兄阳生为悼公。

敬王三十五年，齐鲍子弑悼公，立其子为简公。

敬王三十九年，齐田常弑简公，立其子为平公，常相之，专国权。

……

我想不必再引了，春秋战国之际，所谓“乱臣贼子”的事变，大抵是反诸侯的争斗。三家分晋，田氏篡齐，尤为显著之例。我们固不相信什么“悖入悖出”的因果报应，但诸侯与其臣仆之间，有不可调和之矛盾，则为不可掩的事实。孟子所说“万乘之国，弑其君者，必千乘之家；千乘之国，弑其君者，必百乘之家”，似乎已窥见其中的矛盾。

这种矛盾的内容是什么呢？

周室东迁后，铁之用途渐广，不仅用做耕器，用做兵器，而且推广到手工业方面。所谓“一女必有一针一刀……行服连轺辇者必有一斤一锯一锥一凿”者是也(《管子·海王篇》)。考之《史记·货殖列传》亦有蜀卓氏，程郑，宛孔氏，曹邴氏，以冶铁致富的记载。其普遍用铁的情形之下，奇技淫巧，应时而兴，商业也就日趋发达了。“如贾三倍，君子是识”(《诗经·瞻卬》)即见其端。班固说，“周室衰，礼法堕，诸侯刻桷丹楹，大夫山节藻棁……其流至于士庶人，莫不离制而弃本，稼穑之民少，商旅之民多，谷不足而货有余……”(《前汉书·货殖传》)，尤可以想见当年商业之盛。孟子更讨厌商人，至斥之为“贱丈夫”，也是商业发展之反证。他说：

> 古之为市也，以其所有，易其所无者，有司者治之耳。有贱丈夫焉，必求垄断而登之，以左右望而罔市利，人皆以为贱，故从而征之，征商，自此贱丈夫始矣。(《公孙丑下》)

在商业相当发展的环境中，盲目的市场，不仅驱逐农奴日益陷于破产的深渊之中，而且使贵族生活走向没落，这证明商业资本对封建经济起了大的腐蚀作用。三百篇中描写贵族穷困之诗，触目皆是，兹举一二例如下：

《邶风·北门》上说：

出自北门，忧心殷殷，终窭且贫，莫知我艰，已矣哉，天实为之，谓之何哉？

王事适我，政事一埤益我。我入自外，室人交遍谪我……

王事敦我，政事一埤遗我。我入自外，室人交遍摧我……

《秦风·权舆》上说：

于我乎，夏屋渠渠。今也每食无余。于嗟乎不承权舆！

于我乎，每食四簋。今也每食不饱。于嗟乎不承权舆！

在贵族受市场袭击而破产的时期，诸侯亦以相同的原因而用途扩大，奇技淫巧的商品，在从前不必需者，现在也不可缺了。为满足这欲望起见，一方面只好加倍榨取农奴，另一方面又不得不劫夺贵族之收入。利害冲突到了水深火热之际，“做乱臣贼子”，便是唯一的出路。所以诸侯与其臣仆相互间的矛盾，实有其具体的经济内容。这些“臣弑其君，子弑其父”的畸形现象，本是儒家伤心之事，孔二先生甚至想借春秋的笔削，以挽回“世衰道微”，而不了解“世衰道微”社会背景，结果，是于事实无补的。

士大夫的活跃

春秋战国之世，有两种相反的现象：一是上层分子的没落，即所谓贵族破产，引起贵族与诸侯之间不断的冲突；一是下层分子抬头，即所谓“士大夫”——封建官僚的候补人——以布衣而致卿相，为封建政治的新支柱。

三百篇中也有描写这些“新贵人”的作品，兹引一二如下：

维鹈在梁，不濡者翼。彼其之子，不称其服。

维鹈在梁，不濡其味（音画）。彼其之子，不遂其媾。（《曹风·候人》）

西人之子，粲粲衣服。舟人之子，熊罴是裘。私人之子，百僚是试。（《小雅·大东》）

民之无良，相怨一方，受爵不让，至于已斯亡。（《小雅·角弓》）

关于这些“新贵人”产生的社会背景，沙发诺夫在《中国社会发展史》中有一段话说得很明白。

战国封建的混战，把寄居在封建制度巢穴中的封建官僚养大了，并且把它们抬举到社会塔的上层来。封建官僚起初不过是封建贵族技术上的助手。它帮助封建贵族剥削农奴式的农民，组织封建压榨农民血汗的机关，并且使这

> 机关巩固和成为合法的形式。但是封建的混战，却直接动摇了整个的社会制度，减弱了和抹煞了旧有的阶级分划，并且在新的调子上来重新划分阶级。封建社会上层阶级的地位之一般的不稳固是愈加厉害而且常常使封建诸侯倚靠官僚。封建诸侯为着争霸权和争统治而造成的不终绝的战争自身，更造出一种对“专门人才”之急切的需求，如军事专门人才，外交专门人才，封建压榨机关的专门人才，——如收集赋税，剥削土地的和森林的财富等等。我们从孔子与孟子口中知道，战国的大小诸侯彼此如何的互相竞争招请最有名的专家来替自己做事。封建的混战，培养了封建官僚！——在这一点上便产生出封建制度的“矛盾的发展”。（《中国社会发展史》六四——六五页）

“士大夫”既走上政治舞台，便打破封建时代的“世禄”之制，秦穆公用百里奚于囚，得由余于戎狄，即是“破格用人”的典型。“丘少也贱”的孔子也曾因缘时会，相鲁三月。孔门弟子如子张之“学干禄”，不仅是他个人的热中，并且是当时知识分子一般的心理。而以“当今之世舍我其谁”自夸的孟子，虽官运不佳，未能掌握政权，然当其后车数十乘，从者数百人，以传食于诸侯的时候，总算大阔特阔了。其他如苏秦张仪，以平民而为卿相，支配一时之政局，尤为历史上显著之例。士大夫既这样活跃，到处游说诸侯王公，而诸侯王公也不得不招致士大夫来应付时局。如秦孝公之尊官分土，燕昭王之筑黄台，战国四公子（孟尝，信陵，平原，春申）之争养食客，成为一时风尚。在这种社会氛围气之下鸡鸣狗盗之流，博徒卖浆之辈，也不愁无一枝之寄了。

在这里应该特别解释的是士大夫的特质。瓦尔加（Varga）把士大夫看做中国的特产（见前第三章第五节），本是一种不正确的意见。而陶希圣对这问题，更有一种奇怪的议论，他说：“在中国本有超阶级的社会群，这便是过去的士大夫阶级。”又说：“士大夫是超阶级的，超出生产组织各阶级以外，自有其特殊的利益。”（《中国社会之史的分析》七七页）这种见解，把士大夫看成超绝一切的东西，真是幼稚得可怜的幻想。

只要是不故意抹煞事实的人，都知道古代的士大夫是封建统治的代言人，他们靠分得农奴的血汗以为生，所以他们的任务也在维持封建时代压榨农奴的统治。固然他们之中有许多对旧统治不满，甚至不客气的抨击旧统治，而标榜出什么“仁政”“王道”……的口号。其实这不过是一种改良主义，其用意在和缓农奴的争斗，使他们在最低生活的水平线下，驯伏的受剥削。这不是反对旧统治，而是企图把旧统治稍加改良，成为漂亮的欺骗的新形式。在这一点上——拥护封建统治的基础——孔子学派或其他较急进的反对派，都没有任何差别。这是古代一切士大夫的真相。

自然，这种说法，并不否认士大夫相互之间夺取权位的争斗；也不否认士大夫与贵族之间利害的冲突；更不否认在某种范围内，那些朝秦暮楚的士大夫，出卖祖国的阴谋（所谓客卿大抵是干这一类的勾当）。从封建社会矛盾上寄居的士大夫，不仅不能解决任何矛盾，反而使社会的矛盾益趋复杂。到秦并六国之际，大梁人尉缭劝秦始皇以财物赂各国之豪臣以乱其谋，有“亡三十万金则诸侯可尽”之语。士大夫在封建时代既靠依附统治者以生存，到了统治者崩溃之际，除了出卖自己捞摸几文准备度其亡国生活外，还有什么其他的出路呢？

第五节　秦代统一的基础及其政权的性质

政治组织上的集中运动

封建时代政治组织上有两个方向不同的运动：一个是尾大不掉的离心运动，一个是弱肉强食的集中运动；前者是就各诸侯对周天子说的，后者是就各大国对各小国说的。离心运动在前面第三节已说过，现在且就集中运动约略言之。

在周初武王时代原有一千八百国，到春秋之际只有一百四十余国，兼并之速可见一斑。春秋一百四十余国之中，可记者仅鲁，卫，晋，郑，吴，燕，蔡，曹，齐，宋，楚，越，陈，秦等十四国。就中以齐，晋，楚，秦，吴，越为较强。入战国时代，一百四十余国在兼并的过程中，又只剩七国，如韩，赵，魏，楚，燕，齐，秦。结果，前六国又为秦所灭，而秦之统一告成。

我们知道：政治组织上这种集中运动，不是什么英雄豪杰的丰功伟烈之结晶，而是社会经济发展之反映。周初建国，列爵分土，本是自然经济结构下的产物，因为自然经济是散漫的，所以，不能建立集中的政权。且封建统治阶级以剥削农奴为其生存的基础，为控制全国的秩序计，也不能不把指挥农奴的铁鞭分给各诸侯，以资镇压，于是列爵分土就成为必要了。这即是封建政治的基本意义。

可是，跟着生产力之进步与剥削之增加，交换经济渐渐发展，地方市场于以形成。据《史记·货殖列传》所载：如邯郸，燕，洛阳，临菑，睢阳，江陵，吴，寿春，番禺，南阳……皆是当时之都会。有这样经济上的脉络，结成国内工商业的中心，所以，政治上也发生兼并运动，由一千八百国而一百四十余国而七国。政治单位受经济单位的支配，本是绝不容疑的真理！

秦代统一的经济基础

至于秦始皇之兼并六国，为我国历史家饶有兴趣的问题。要了解这问题的真相，自然也应从经济基础上去说明。秦起西陲，自缪公霸西戎，益国十二，辟地千里以后，成为大国。财富的积累是很迅速的。如《史记·货殖列传》载有：

> 秦文（孝）[德]缪居雍隙，陇蜀之货物而多贾。献（孝）公徙栎邑，栎邑北却戎翟，东通三晋，亦多大贾。（武）[孝]昭治咸阳，因以汉都长安诸陵，四方辐凑并至而会。……南则巴蜀，巴蜀亦沃野，地饶卮，姜，丹砂，石，铜，铁，竹木之器。……栈道千里，无所不通。……天下水，陇西，北地，上郡，与关中同俗。然西有羌中之利，北有戎翟之畜，畜牧为天下饶……故关中之地，于天下三分之一，而人众不过什三，然量其富，什居其六……

从上面一段征引中，可知道秦国掌握十分之六的财富，其强盛信非偶然。但在强盛的过程中，有决定全局之意义的事，无过于商鞅变法。秦孝公二年，商鞅用事，无异在政治舞台上投掷一个炸弹。看了商鞅“苟可以强国，不法其故，苟可以利民，不循其礼”的说法，以及

“商君相秦十年，宗室贵戚多怨望者”的记载（均见《商君列传》），便看出这位大刀阔斧的改革家与守旧派争斗之烈。只以孝公信任之故，所以能独断独行，太子犯法，亦刑其傅。虽说以常情论，固不免“刻薄”“寡恩”，然为执行其改革计划计，却不能不如此坚决。商鞅总算是我国政治史上出类拔萃的政治家吧！兹将他的政治纲领摘录数项如下：

（一）“令民为什伍，而相牧司连坐。不告奸者腰斩，告奸者与斩敌首同赏，匿奸者与降敌同罪。”（严刑峻法）

（二）“民有二男以上不分异者倍其赋……大小僇力本业耕织。致粟帛多者复其身。事末利及怠而贫者举以为收孥。”（重农抑商）

（三）“有军功者各以率受上爵，为私斗者各以轻重被刑……有功者显荣，无功者虽富无所芬华。”（黩武主义）

（四）“集小（都）乡邑聚为县，置令丞，凡三十一县，为田开阡陌封疆而赋税平。”（土地政策）

商鞅政治纲领中最重要的，自然是“开阡陌”。杜氏《通典》上说：“鞅以三晋地狭人贫，秦地广人寡，故草不尽垦，地利不尽出，于是诱三晋之人，利其田宅，复三代无知兵事，而务本于内，而使秦人应敌于外。故废井田，开阡陌，任其所耕，不限多少，数年之间，国富兵强，天下无敌。”《汉书·食货志》上亦有“(秦)用商鞅之法，改帝王之制，除井田，民得卖买，富者田连阡陌，贫者无立锥之地”等语。从这两段话中，便知“开阡陌”，便是宣布土地为商品，换言之，即是宣布土地私有制。

商鞅准许人民私有土地，当时便有许多农民从人口过多土地不足的国家移殖到秦国，促成一种移民运动。其次，土地可以卖买，公开的适应交换经济的要求，引起富者向土地投资(土地资本)。有这两方面的影响，势必推进社会经济结构的改变。《商君列传》中，有“行之十年，秦民大悦。道不拾遗，山无盗贼，家给人足。民勇于公战，怯于私斗，乡邑大治”等语。这虽有些铺张，然至少也可证明秦国阶级关系不似六国那样的尖锐对立吧！六国不断的战争，生产破坏，公私交困，而秦国则日趋富庶，尤其是土地资本大有进步，所谓“富者田连阡陌”，即其明证。(《汉书·王莽传》也说秦时“兼并起，贪鄙生，强者规田以千数，弱者曾无立锥之居”。)

有了这样新兴的势力，以充实社会内容，当非被商业资本所腐蚀而致穷困的六国所能对抗。何况秦又用尉缭之计，以三十万金，赂各国之豪臣，以促成内变？（《秦始皇本纪》）宜秦国之所向无敌也！

秦代关于政治制度的争辩

“经济基础一有变动，巨大的上层建筑，便随之而缓慢的或急剧的变革”，本是颠扑不破的真理。因此，秦始皇在吞并六国之后，关于政治制度问题，颇引起热烈的争辩。

> 丞相绾等言：诸侯初破，燕齐荆地远，不为置王，无以填之，请立诸子。……群臣皆以为便。廷尉李斯曰：周文武所封子弟同姓甚众，然后属疏远，相攻击如仇雠。诸侯更相诛伐。周天子弗能禁止。今海内赖陛下神灵一统，皆为郡县。诸子功臣，以公赋税重赏赐之甚足，易制，天下无异意，则安宁之术也。置诸侯不便。始皇曰：天下共苦战斗不休，以有侯王。赖宗庙，

天下初定，又复立国，是树兵也。而求其宁息，岂不难哉！廷尉议是。(《秦始皇本纪》)

这段事料，是说明丞相绾主张分封，而李斯则主张集权。这种争辩，当然不止一次。既灭六国之第八年，又把这一问题提出来了。

博士齐人淳于越进曰：臣闻殷周之王千余岁，封子弟功臣，自为枝辅。今陛下有海内，而子弟为匹夫，卒有田常六卿之臣，无辅拂，何以相救哉？事不师古而能长久者非所闻也。……始皇下其议。丞相李斯曰：五帝不相复，三王不相袭，各以治，非其相反，时变异也。今陛下创大业，建万世之功，固非愚儒所知。且越言乃三代之事，何足法也。……今诸生不师今而学古，以非当世，惑乱黔首……臣请史官非秦纪皆烧之。非博士官所职，天下敢有藏诗书百家语者悉诣守尉杂烧之。……所不去者，医药卜筮种树之书。若欲有学法令，

以吏为师。制曰：可。（同上）

在这次争辩中，也说明淳于越是主张分封，而李斯仍老老实实的坚持前议。这自然不只是简单的新旧冲突，而实含有社会矛盾的内容。旧官僚与儒生是拥护封建贵族，故主张复古。郡小吏出身的李斯本是一个新官僚，却是代表新兴地主（土地资本）的，故主张师今。争斗的结局，可说是新兴地主占优势。

秦代政权的性质

要之秦统一后的改革，在历史上没有前例。所以，关于秦代政权的性质，颇有些不同的意见：郭沫若认为"秦始皇不愧是中国社会史上完成了封建制的元勋"，显然与事实不符，用不着去批评。惟拉狄克说："当封建末期，由封建社会产生一种新的商业资本阶级，秦朝的政权就建筑在这种阶级上的，同时，依靠它以反对一切旧的封建势力。"（《中国历史之理论的分析》五三页）这是一种似是而非之论，不能不加以辨明。（梅思平也说秦是一个最大的商业国。）

第一，商业资本只是一种交换关系，并不代表一种生产关系，它不能创造价值或剩余价值，而只帮助价值或剩余价值之实现而已。

第二，商业资本虽然在某种程度上腐蚀了自然经济，但没有破坏封建制度，并且在原有制度的基础上加强了封建剥削。

所以，俄国历史家波克洛夫斯基（Pokrovsky）说：

> 什么也不生产的商业资本，是不能决定所兴的社会政治底上层构造的性质的。以“带了一个有边的帽的商业资本”来规定专制主义是全然谬误的原因，就在这里。在或一时代商业资本的影响不论怎样大，但政治上层构造之性质，是由生产关系而决定，不是由交换关系而决定的。一个有边的帽子，是封建的装饰，不是资本主义的装饰。(《文化》第二期《关于俄国封建主义、专制主义之起源及特质》)

依照上述论据，可得两个结论：（1）商业资本阶级不能建立自己的政权；（2）商业资本阶级并不与封建势力对立。这两个结论，把拉狄克的意见打破了。（梅思平的理论自然也受不起这一棒。）

或者有人要问：难道秦代没有商业资本吗？也不是这样说。商业资本是有的，但在政治上不占势力。就史实言，商鞅之重农抑商，已如前述。而李斯已说过，“今天下已定，法令出一，百姓富家则力农工”（《秦始皇本纪》），未尝提到商人。且秦代曾“发诸尝逋亡人，赘婿，贾人，略取陆梁地”，这简直把商人与犯罪同一看待了。商人在政治上是卑卑不足道的。

或者有人更要提出《货殖列传》中牧长（倮）寡妇（清）礼抗万乘以为反证。不知牧长本以畜牧为主业，寡妇乃数世擅丹穴之利者，并非商人。即就往来贩贱卖贵的吕不韦而论，固是商人出身，但史载其“家僮万人”，“食客三千人”，“食河南洛阳十万户”，足见致富之后已变成新兴的地主，这种“头等商人”虽能左右政局，“很明显的，他并不是以商人资格去指挥国家，而是以生产工具直接占有者的资格去指挥国家”（杜博洛夫斯基）。所以，秦代的政权与其说建筑在商业资本之上，勿宁说建筑在土地资本之上。

如果以为秦代实行中央集权，似乎与封建制度之特征违反，那么，请看杜博洛夫斯基的话：

> 在自然经济形式上的封建制度以政权的非集中化为特征。但是具体的，后来的真实性可以带许多重要的变化加入这种标志中去，直至把此特点消灭掉为止。例如：欧洲在封建时代的个别期中形成了集中化的国家……但在基本上绝对没有变更农民与站在农民之上的私有者，或土地使用者间的生产关系，就是没有变更存在于封建制度里的生产关系。(《亚细亚生产方式，封建制度，农奴制度及商业资本之本质问题》八五——八六页)

现在再看事实：不错，秦自商鞅变法后，已宣布土地私有制。然而这并未推翻封建的剥削基础，不过将以前为领主所有之土地，在生产上更换一个封建形式而已。“秦田租口赋盐铁之利二十倍于古，或耕豪民之田，见税什五。”(《文献通考》卷一《田赋门》)可见剥削益加残酷，我们能说“秦代政权依靠商业资本阶级以反对一切旧的封建势力”么?

第六节　秦的统治政策与农民暴动

秦分天下为三十六郡

秦代政治组织，虽与周代不同，然仍是一种变相的金字塔，压在塔下的依然是农奴式的农民。《史记·吕不韦列传》除说到“不韦家僮万人”外，又言“嫪毐家僮数千人”,《留侯世家》亦载“张良家僮三百人”，甚至如《汉书·王莽传》竟明明白白的说“秦置奴婢之市，与牛马同兰”，足见当时农奴劳动极一时之盛。即从土地束缚下解放出来的农民，依然受地主残酷的剥削，其生活仍与农奴不相上下。看了前述“耕豪民之田，见税什五”一句话便知道了。

列爵分土，本是镇压农奴劳动之一种组织。惟秦始皇鉴于周末“天下共苦战斗不休，以有侯王”，故不愿“立国”“树兵”，而从李斯之议，改封建为郡县。于是分天下为三十六郡，郡名及其所在地列后：

内史，云中，九原，上，汉中…………今之陕西省境

河东，上党，太原，代，雁门…………今之山西省境

北地，陇西…………………………今之甘肃省境

三川，颍川，南阳……………………今之河南省境

邯郸，上谷，巨鹿，渔阳，右北平，东 ……今之河北省境

齐，薛，琅邪…………………………今之山东省境

泗水，九江，鄣，会稽………………今之江苏、安徽、江西、浙江省境

巴蜀……………………………………今之四川省境

南郡……………………………………今之湖北省境

长沙，黔中……………………………今之湖南省境

辽东，辽西……………………………今之辽宁省境

后汉略取南越地方，置南海（今广东省境），桂林（今广西省境），象（今安南境）三郡。又夺勾践子孙的地方，置闽中郡（今福建省境）。共计四十郡。当时版图，北近沙漠，南跨安南，东限辽东，西至甘肃，中国本部

未加入者，只有四川南部，及云，贵，广州一带。

秦代对内政策与对外政策

在这样一个广大地域上面，而又值交通梗塞时期，要想由中央政府的“铁鞭”，镇压全国的农民，自然是不易的事。这位“德兼三皇功过五帝”的魔王，却用如下的统治政策。

首先要说明的，秦始皇在中国政治史上第一次建立了封建的专制主义（Absolutism）之典型（我只承认专制主义是秦代的政治形式，与友人胡秋原把秦至清初划为专制主义社会的主张是大有区别的），尊号为皇帝，命为制，令为诏，天子自称朕：除谥法，不许子议父臣议君，自己为始皇帝，后世以数计，二世，三世，至千万世，传之无穷。以为“六合之内，皇帝之土，西涉流沙，南尽百户，东宿东海，北过大夏，人迹所至，无不臣者”(《秦始皇本纪》)。这真是天字第一号的“夸大狂”。

其次，当时中央官制，于皇帝之下，有“丞相总百揆”，“太尉主五兵”，“又置御史大夫以贰于相”，用近代术语说，就是政治，军事，监察三权鼎立制度，这三权都是直辖于皇帝。地方官制有郡县之分，一郡之中，有“郡守掌治其郡”，“郡尉掌佐守典武职甲卒”，“监御史掌监郡”。县则有“县令长掌治其县，万户以上为令，减万户为长”，此外，设县尉掌军事。县令长与尉都受郡的管辖，不另设监察之官。(参考《汉书·百官公卿表》，《文献通考·职官门》)凡郡县官吏皆由皇帝直接任命(官吏限定有资产的人，看《史记·淮阴侯传》，载韩信始为布衣时，贫无行，不得推择为吏，便知道了)，每年须将治理地方情形直接报告中央——县政也不必由郡转(大抵只受监察御史的监察)。所谓中央集权，简直是集权于皇帝一人之身。《史记·秦始皇本纪》载有“天下之事无大小皆决于上，上至以衡石量书(笺奏等公文书)，日夜有呈，不中呈不得休息”。可想见皇帝“一日万几”的情形。兹将秦代中央与地方的关系列表于下：

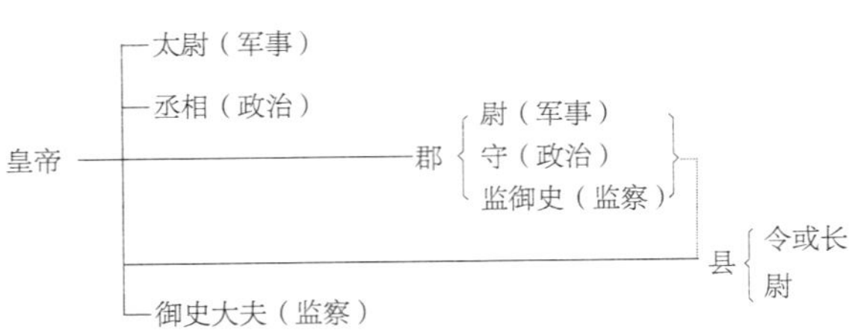

自然，在这样的专制主义统治之下，不能不注意消灭反侧，秦始皇对于这一点是看到了的。他收天下兵器，聚之咸阳，销以为钟，鐻，金人十二（当时以铜为兵），各重千石。以为没有兵器，就不能造反了，这本是一种愚笨的想法。同时又厉行两种相反相成为政策：一种是羁縻政策，如徙天下豪富于咸阳，十二万户。另一种是屠杀政策，如坑儒生，焚诗书。（参看本书第五章第八节）像这样不顾一切的硬干，确是“自上古以来未尝有”，秦始皇真不世出之怪杰哉！

当时统一之局既成，而统一上的要求，如“一法度衡石丈尺，车同轨，书同文字”，固属大众皆知之事。而为便利交通起见，“为驰道于天下，东穷燕齐，南极吴楚……道广五十步，三丈而树，厚筑其外，隐以金锥，树以青松”（《汉书·贾山传》），亦是迫不容己之举。这样一来，不仅应该强迫改革过去的习俗，而且免不了要大兴徭役，驱使数十万人。全国安得不“戴目而视，倾耳而听”。

以上是秦始皇的对内政策。而其对外的政策怎样呢？《秦始皇本纪》载有：

三十二年……使将军蒙恬发兵三十万人，北击胡，略取河南地。

三十三年，发诸尝逋亡人，赘婿，贾人，略取陆梁地，为桂林，象郡，南海，以适遣戍。西北斥逐匈奴，自榆中并河以东，属之阴山，以为三十四县，城河山为塞。又使蒙恬渡河，取高阙，陶山北假中，筑亭障以逐戎人，徙谪实之初县。

三十四年，适治狱吏不直者，筑长城，及南越地。

影响所及，正如贾谊所说：“百越之君，俯首系颈，委命下吏……却匈奴七百余里，胡人不敢南下而牧马，士不敢弯弓而报怨。”所有这些，都是我国半新不旧的历史家所夸赞的“武功”呵！不待说，武功的纪念碑，即是当时民众的“赤血”与“白骨”之积累。

在这里要附带说及的，有些西方的“中国通”，如马札亚尔《中国农村经济》一书的编辑者，认为“秦代国家集权之最重要的基础，还不是灌溉制度（这是马札亚尔的观点——编者注)，而是与异族之斗争”(指建筑万里长城的时期言——见该书中译本《导言》一七页)。拉狄克也说过：“中国国家是在农民与游牧民族的斗争中而产生的。”(《中国历史之理论的分析》四十页)这些说法都是不正确的。因为“战争在基本上是内部政治的持续……无论如何，不能把它当做国家创立的基础去观察。对外政策——特别是战争，是为剥削被压迫阶级而反对别国的剥削者之斗争中阶级国家的行动表现之一”(杜博洛夫斯基)。

总之，秦始皇的对内政策与对外政策是专制主义的两面刀锋，这两面刀锋下的牺牲者，大部是农民，以致“男子力耕不足粮饷，女子纺绩不足衣服，竭天下之资财以其政，犹未足以澹其欲”(《汉书·食货志》)。当这位魔王偶受到意外惊扰，则又有“令天下大索十日”，或“关中大索二十日”。在这样“猛于虎”的苛政之下，那些热望“始皇帝死而地分”的农民，安得不铤而走险呢？所以始皇死后，益以二世昏庸横暴，无法再镇压下去，于是我国历史上第一次全国农民总暴动，便如火山爆发不可收拾了。

农民暴动与豪杰亡秦

首先揭竿而起，展开农民革命之旗的人，便是雇农陈涉。“陈涉少时，尝与人佣耕，辍耕之垄上，怅恨久之，曰：苟富贵，勿相忘！佣者笑而应曰：若为佣耕，何富贵也？陈涉太息曰：嗟乎！燕雀安知鸿鹄之志哉？”（《史记·陈涉世家》）这段话，把这位农民首领的出身，写得非常明白（贾谊也说过陈涉瓮牖绳枢之子，甿隶之人，而迁徙之徒——《过秦论》）。当他与吴广鼓动戍卒起兵之后，攻大泽乡，攻蕲，攻铚，酂，苦，柘，谯，攻陈，所向披靡，一转瞬间，有车六七百乘，骑千余，卒数万人。到陈涉的先锋周文率众西击达于潼关的时候，已有车千乘，卒数十万人了。所谓“望屋而食，横行天下”者是也！这证明秦的统治已成土崩瓦解之局。不过这位农民首领，本身是失败了的。失败的原因固然很多，但主要的却由于没有政治纲领，甚至像刘邦那样简单的“约法三章”，都未曾提出过，只知“诈称扶苏项燕为天下唱”，只好以“王侯将相”相号召（鼓动戍卒时，曾说：“王侯将相宁有种乎？”）。到了自己为王以后，对于旧日之佣耕者，待遇残酷。史载“客（指佣耕故人）……

言陈王故情。或说陈王曰：客愚无知，颛妄言轻威。陈王斩之。诸陈王故人皆自引去，由是无亲陈王者”（《陈涉世家》）。陈涉虽自雇农出身，却没有雇农的意识，这或者就是“阿其里斯”（Achilles）的足跟吗？

陈涉虽只做六个月的楚王而失败，然在他揭竿而起之后，“诸县郡苦秦吏者，皆刑其长吏杀之，以应陈涉”。所以陈涉分遣诸将，四出号召，当时“楚兵数千人为聚者不可胜数”。一般贵族余孽趁此活跃起来，都利用农民暴动的势力，以圆自己的好梦，酿成“豪杰亡秦”的一幕喜剧。于是，魏人张耳、陈余奉武臣为赵；燕人韩广自立为燕王；齐国的王族田儋自立为齐王；魏人周市立魏公子咎为魏王；到后来张良又劝项梁立韩公子成为韩王。已颠覆的六国都死灰复燃了。这显然都是趁火打劫，想在农民暴动胜利中，分尝一脔。倒霉的农民是这样被人利用的呵！

在陈涉揭竿以后两月，项梁举兵于会稽，项氏世世为楚将，自然也属于贵族余孽之流。范增说项梁，有“今君起江东，楚蜂起之将皆争附君者，以君世世楚将，为能复立楚之后也”（《项羽本纪》）等语，亦可证明项梁部下，大抵是贵族余孽。项羽“身七十余战……霸有天下”，本于“彼可取而代之也”的动机；所以在他西屠咸阳之后，遂分裂天下而封诸侯，留一块很大的领土归自己管辖，当时分封结果共有十九国之多。兹列表于下：

人名	王号	领土	都城
项羽	西楚霸王	梁楚地九郡	彭城（江苏铜山）
刘邦	汉王	巴蜀汉中	南郑（陕西南郑）
章邯	雍王	咸阳以西	废丘（陕西兴平）
司马欣	塞王	咸阳以东至河	栎阳（陕西临潼）
董翳	翟王	上郡	高奴（陕西肤施）
魏王豹	西魏王	河东	平阳（山西临汾）
韩王成	韩王		阳翟（河南禹县）
申阳	河南王		洛阳（河南洛阳）
司马卬	殷王	殷故墟	朝歌（河南淇县）
赵王歇	代王	赵	代（河北蔚县）
张耳	常山王		襄国（河北邢台）
英布	九江王		六安（安徽六安）
吴芮	衡山王		邾（湖北黄冈）
共敖	临江王		江陵（湖北江陵）
燕王广	辽东王		无终（河北蓟县）
臧荼	燕王		蓟（北平）
齐王市	胶东王		即墨（山东即墨）
田都	齐王		临淄（山东临淄）
田安	济北王		博阳（山东泰安）

从这种局势中，显然看出农民血战的结果，虽然打

破了秦代统一的江山，却来了这批“小皇帝”。农民身上的锁链依然未挣脱。而且项羽的分封，其中含有很多的矛盾：第一，不愿刘邦占据关中，而又不便背“先入定关中者王之”之约，所以另加一种解释，说“巴蜀亦关中地也”，这是调虎离山的妙计。第二，“三分关中，王秦降将（章邯，司马欣，董翳）以距塞汉王”，即是妨害刘邦的发展。第三，把赵魏燕齐的旧王，都迁到别处，而以其地封自己亲信的人，即陈余所说“尽王故王于丑地而王其群臣诸将于善地”者是也。第四，像田荣一类之人，竟得不到一点地盘，自然不服。有了这些矛盾，所以不能稳定下去。于是田荣就吞并三齐（齐王市，田都，田安），陈余也攻破张耳，刘邦又还定三秦，结果，形成楚汉对峙之局。而“力拔山兮气盖世”的重瞳子，终不得不于四面楚歌之日，演了一出“霸王别姬”的悲剧。“丁壮苦军旅，老弱罢转漕”，一切损失仍嫁到农民身上。最后的胜利，便归于“大丈夫当如此也”的赤帝手中。宜其在未央前殿，奉王卮为太上皇寿之际，自夸说“今某之业，所就孰与仲多也”！

楚汉相争，楚败汉胜，不是偶然的。真正的原因，自然不如刘邦所说：“子房……萧何……韩信……皆人杰也，吾能用之，此吾所以取天下也。项羽有一范增而不能用，此其所以为我擒也。”（《高祖本纪》）把胜败之机，完全归到人才问题上，是一种不正确的论断。

本来，刘邦本是无赖出身，“不事家人生产作业，及壮，试为吏，为泗水亭长，廷中吏无所不狎侮”，显然是市井豪绅之列。他所勾结的一般人，除张良属于破落户的公子王孙外，如萧何、曹参为刀笔吏，韩信是贫而无行的，“陈平，王陵，陆贾，郦商，郦食其，夏侯婴等皆白徒，樊哙则屠狗者，周勃则织薄曲、吹萧给丧事者，灌婴则贩缯者，娄敬则挽车者”（赵翼《廿二史劄记》），可说是流氓恶棍的大集团。这些人对农民要求多少总了解一点。所以入关以后，与父老约法三章，杀人者死，伤人及盗抵罪，余皆除秦苛法。与那“烧秦宫室，火三月不灭，收其货宝妇女而东”的项羽比起来，自然有上下床之别了。这并不是像拉狄克一样认为汉朝是什么农民政权。不过他们平常与农民接近，会玩欺骗农民的把戏罢了。

可是胜负的主要枢纽，还是经济问题。秦代财富，十分之六在关中。项羽入关后，欲引兵东归。“人或说项王曰：关中阻山河四塞，地肥饶，可都以霸。项王见秦宫室皆以烧残破，又心怀思欲东归。曰：富贵不归故乡，如衣绣夜行，谁知之者？”（《项羽本纪》）弃财富集中的关中不守，即是项羽失败的第一着。所以，连年战争，弄得“兵罢食尽”，非败不可。而刘邦之根据地为巴蜀汉中，不久，三秦亦归其掌握。“汉与楚相守荥阳数年，军无见粮，萧何转漕关中，给食不乏。”（《萧相国世家》）有这样充足的财源，所以在军事上战胜项羽。同时，刘邦又出黄金四万斤与陈平，行反间，使项羽疑惑范增，以此看来，在刘项兴亡中，黄金之神，也卖了大的气力。王陵以为“项羽妒贤嫉能……战胜不予人功，得地不予人利，所以失天下”。真所谓“知其一未知其二”（刘邦语）者也！

第七节　周秦之际的意识形态

从祭天说到天人合一

我国国家正式成立，始于西周，这是封建时代与氏族时代不同的标志之一。这种特殊标志在分析封建时代的意识形态上，必须估计到。

我在前章第七节内，已说过：“天或上帝这一类东西，是一神教的范畴，而一神教只是国家成立后——至少在国家成立的过程中——的产物。”依照这样论据，所以断定在整个民族社会“尊祖”与“祭天”不能相提并论。可是到了封建时代，国家既成立，“祭天”便成了流行习惯，而“天”的权威，也一天天增长起来。如：

皇矣上帝，临下有赫。监观四方，求民之莫（定也）。(《皇矣》)

文王在上，于昭于天……文王陟降，在帝左右。(《文王》)

昭事上帝，聿怀多福。……上帝临汝，无贰尔心。(《大明》)

敬天之怒，无敢戏豫；敬天之渝，无敢驰驱。(《板》)

周德虽衰，天命未改，鼎之轻重，未可问也。(《左传·宣公三年》)

这简直把“天”形容得至高无上了，为什么如此？这是有理由的。封建国王企图巩固自己的权威，企图巩固自己世袭的产业，不得不把自己的模型转化到天上。天是永恒不变的，自己也成为永恒的支配者。天是不可侵犯的，自己也成为不可侵犯的神圣。于是，“天”变成统治阶级有利的工具，把天抬得越高，就对统治阶级越有益。所以说“支配一时代的思想，终只是那时代统治阶级的思想”。

然而这毕竟是一套“鬼话”。所谓“监观四方，求民之莫”，所谓“昭事上帝，聿怀多福”，终究与被榨取的农奴不相干。于是“天”的权威，以及“天”的骗局，被实际生活打得粉碎！因此，有怨望天者，如：

> 肃肃鸨羽，集于苞栩。王事靡盬，不能蓺稷黍。父母何怙？悠悠苍天，曷其有所？（《鸨羽》）
>
> 不自我先，不自我后。藐藐昊天，无不克巩。（《瞻卬》）

有责骂天者，如：

昊天不佣，降此鞠讻！昊天不惠，降此大戾！（《节南山》）

浩浩昊天，不骏其德！降丧饥馑，斩伐四国。（《雨无正》）

像这样怨恨天，责骂天，天的权威与天的骗局大有失掉作用之趋势。换言之，就是“天人之际，发生矛盾”。这一矛盾的发展，可使“神权政治”动摇，农奴们如果不怕天，那就不易镇压了。法国启蒙运动者福禄特尔（Voltaire）以为“无神论不可让仆人听见”，是有相当道理的。所以，一般眼光较远的人就用改良主义的方法，来弥缝这种缺陷，于是“天人合一论”成为应时妙品了。

夫民，神之主也。是以圣王先成民而后致力于神。故务其三时，修其五教，亲其九族，以致其禋祀。于是民和而神降之福。（《左传·桓

公六年》)

天视自我民视，天听自我民听。(《孟子·万章》)

总之，由“祭天”的习惯，巩固“敬天”的信念，加强“畏天”的心理，然后统治阶级才能制驭农奴。固然塔尔海玛（Thalheimer）说过：“中国宗教观念中的上帝，并不是排除其他一切神的唯一神，像希腊人的Zeus，罗马人的Jupiter那样。古代中国宗教观念中的上帝，至多不过是最高的神，却不是唯一神。”(《现代世界观》中译本二一四页）但天（上帝）在封建时代是诸神的统治者，却是没有争议的，至于祖先崇拜与庶务崇拜，我在前章第七节中已讲过了。

诸子蜂起，百家争鸣

在这里，要郑重提出的，就是春秋战国之际“诸子蜂起，百家争鸣”，甚至有人以为这是中国学术思想之黄金时代。自然这不是偶然的事，而是历史转变中洪流中的产物。当时正是青铜器与铁器时代的分界点，封建制度处在严重的危机之中，把整个社会弄得动摇不宁，于是学术思想也形成百花缭乱、万流汇合之大观了。我国古籍中谈诸子派别的，有《庄子·天下篇》,《荀子·非十二子篇》,《淮南子·要略》,《史记·司马谈论六家要旨》，以及《汉书·艺文志》的九流十家。就中以《汉书·艺文志》根据刘歆《七略》，以为诸子出于王官，所论较详。兹节录数段如下：

> 儒家者流，盖出于司徒之官；助人君……明教化者也。……道家者流，盖出于史官；历记成败，存亡，祸福，古今之道；然后知秉要执本，清虚以自守，卑弱以自持；此人君南面之术也。……阴阳家者流，盖出于义和之官，敬顺昊天，历象日月星辰，敬授民时，此其所长也。及拘者为之，则牵于禁忌，泥于小数，舍人事而任鬼神。……法家者流，盖出于理官，信赏必罚，以辅礼制。……名家者流，盖出于礼官；古时名位不同，礼亦异数，孔子曰：必也正名乎；名不正则言不顺，言不顺则

事不成。……墨家者流，盖出于清庙之守；茅屋采椽，是以贵俭；养三老五更，是以兼爱；选士大射，是以尚贤；宗祀严父，是以右鬼；顺四时而行，是以非命；以孝视天下，是以尚同。……纵横家者流，盖出于行人之官；孔子曰：诵诗三百，使于四方，不能颛对，虽多亦奚以为；又曰：使乎使乎；言其当权事制宜，受命而不受辞；此其所长也。及邪人为之，则尚诈谖而弃其信。……杂家者流，盖出于议官；兼儒墨，合名法。知国体之有此，见王治之无不贯。……农家者流，盖出于农稗之官；播百谷，劝农桑，以足衣食……及鄙者为之，以为无所事圣王，欲使君臣并耕。……小说家者流，盖出于稗官；街谈巷语道听涂说者所造也……如其一言可采，此亦刍荛狂夫之议也。

上述九流十家（除小说家，称九流）之中，其壁垒森严，光辉焕发的，却首推道，儒，墨三大派。兹为节省篇幅起见，只将这三派政治思想扼要述之。

道家的政治思想

道家以老子为宗，主张“无为”，即是任其自然不加干涉的意思。这就是说，国家不要干涉农奴，不要干涉村落，想回到“小国寡民”的原始生活。他说：

> 人法地，地法天，天法道，道法自然。
>
> 天下神器不可为，为者败之，执者失之。
>
> 其政闷闷，其民淳淳，其政察察，其民缺缺；民之难治，以其上之有为。
>
> 我无为而民自化，我好静而民自正，我无事而民自富，我无欲而民自朴。
>
> 以智治国国之贼，不以智治国国之福。
>
> 绝圣弃智，民利百倍。绝仁弃义，民复孝慈。绝巧弃利，盗贼无有。

所有这些说法，散见于《道德经》中，显明的是农奴反抗封建制度与封建国家的反映。不过这种反抗是消极的，并不适合于革命的态度，所以有人说：老子有像托尔斯泰（Tolstoy），是一个无抵抗主义者。

儒家的政治思想

儒家以孔子为宗，主张改良，鼓吹“仁政”“爱人”……一类的政策，维持古代传来的封建秩序。他说：

> 为政以德，譬如北辰，居其所，而众星拱之。
>
> 能以礼让为国乎何有，不能以礼让为国如礼何？
>
> 道千乘之国，敬事而信，节用而爱人，使民以时。
>
> 上好礼，则民莫敢不敬。上好义，则民莫敢不服。上好信，则民莫敢不用情。

很明白的看出孔子的用意，是要玩弄“仁政”“爱人”……各种勾当，去和缓农奴间的争斗，使其羔羊一样的驯伏，静待宰割。至于他理想中的封建秩序，自然是一种金字塔的组织。所以他注重“正名分”。

> 子路曰：卫君待子而为政，子将奚先？子

曰：必须正名乎？……名不正则言不顺，言不顺则事不成，事不成则礼乐不兴，礼乐不兴则刑罚不中，刑罚不中则民无所措手足。故君子名之必可言也，言之必可行也。君子于其言，无所苟而已矣。

齐景公问政于孔子，孔子对曰：君君臣臣，父父子子，公曰：善哉！信如君不君，臣不臣，父不父，子不子，虽有粟，吾得而食诸？

如有用我者，吾其为东周乎！？

孔子既主张维持封建秩序，所以他的头脑中，充满了阶级观念，他把贵族与农奴的差别，看成君子与小人的差别。

君子不仁者有矣夫，未有小人而仁者也。

君子喻于义，小人喻于利。

君子坦荡荡，小人常戚戚。

色厉而内荏，譬诸小人，其犹穿窬之盗也欤。

君子有勇而无义为乱，小人有勇而无义为盗。

君子学道则爱人，小人学道则易使也。

以上是孔子政治思想的轮廓，我们赠他一个“改良主义者”的徽号，是恰如其分的。他生平一车两马，周游列国，无非想尽其全力，挽救那“儳焉不可终日”的封建制度。

墨家的政治思想

墨家以墨子为宗，在某种意义上可说是一个急进派。固然《淮南子·要略》载有“墨子学儒者之业，受孔子之术”，但主张“明鬼”“薄葬”“非乐”“非命”，显然与儒家不同。他的中心思想，即是“兼爱”，所谓“摩顶放踵，利天下而为之”者是也。他说：

圣人以治天下为事者也，不可不察乱之所自起。当察乱何自起？起不相爱。臣子之不孝君父，所谓乱也。子自爱，不爱父，故亏父而自利。弟自爱，不爱兄，故亏兄而自利。臣自爱，不爱君，

故亏君而自利。此所谓乱也。(《兼爱上》)

视人之国，若视其国；视人之家，若视其家；视人之身，若视其身；是故诸侯相爱则不野战；家主相爱则不相篡；人与人相爱则不相贼……贵不傲贱；诈不欺愚；凡天下祸篡怨恨可使勿起者，以相爱生也；是以仁者誉之。(《兼爱中》)

既言兼爱，必反对战争，墨子对战争非常痛恶，在下面一段话中可以看出来。他说：

杀一人，谓之不义，必有一死罪矣。若以此说往，杀十人，十重不义，必有十死罪矣。……当此，天下之君子皆知而非之，谓之不义，今至大为不义攻国，则弗知而非，从而誉之，谓之义。……今小为非，则知而非之，大为非攻国，则不知而非，从而誉之，谓之义。此可谓知义与不义之辩乎？(《非攻上》)

墨子发过这一大串牢骚，可以说是比儒家更为愤激，但他对当前封建制度并无根本推翻的企图，不过想以贤人政治来代替贵族政治而已。他说：

> 尊尚贤而任使能。不党父兄，不偏富贵，不嬖颜色。贤者举而上之，富而贵之，以为官长。不肖者抑而废之，贫而贱之，以为徒役。(《尚贤中》)
>
> 选择贤者立为天子，天子以其知力为未足独治天下，是以选择其次立为三公。三公又以其知力为未足独左右天子，是以封建诸侯。诸侯又以其知力为未足独治其四境之内也，是以选择其次，立为卿宰。(《尚同下》)

从这些征引中，看出墨子不像偶像一样，无条件的拥护封建政治，而是主张改组封建政治，这是挽救封建制度的另一方式。称他为急进派，即指此而言。所以我不赞同塔尔海玛的意见，说他是什么“革命家”，是什么“空想的农业的社会主义者”(《现代世界观》二二七页)。

三家的比较

道，儒，墨三家政治思想不同的原因，当然各有其社会背景。老子为史官，知天人之变，又生在“不忧冻饥”的楚国，所以主张“无为”。孔子是“圣人之后”，且生息于周室同姓的鲁国：其用改良主义维持封建秩序，本无足怪。墨子为宋人，宋为弱小之国，“其民……好稼穑，恶衣食，以致富强”（《汉书 · 地理志》），其主张“非攻”，“薄葬”，以及改组封建政治……也是有理由的。

关于道，儒，墨三家学说对于社会的影响也大有差异：道家主张“无为”，任自然，与社会经济发展的原则不合，故无真不传（今之道家皆神仙家）。墨家“兼爱”与剥削农奴的社会组织不相容，故其说亦早绝。只为儒家的改良主义为封建制度的续命汤，所以二千年来保有超越的势力，简直可说是封建统治的武器，一直到最近封建制度总崩溃之日，孔老先生的牌位才从“大成殿”上倒下来。

一般说来，周秦之际的意识形态，就是如此。

第五章　封建政治制度时期（二）

第一节　两汉的经济结构与社会矛盾

秦汉之间的变革

在“豪杰亡秦”的一幕喜剧中，得最后胜利的是汉高祖，刘氏子孙因此做了新朝代的主人，在金銮宝殿上坐了四百年之久，秦代的江山，改为刘氏的世业。假使说周秦之际是我国历史上划时代的转变（在经济上是从封建庄园制，过渡到土地资本；在政治上是从列爵分土的封建制过渡到新兴地主的政权），那么，秦汉之间就没有这样大的波动了。不独秦汉之际如此，就是汉代以后二千年，一直到清代鸦片战争都是如此。虽然中间演过许多朝代更替的把戏，却没有推翻传统的社会制度。这并不是如陶希圣所说的“永久封建论”，而实因为“社会经济原素的结构，未被政治的风暴所动摇”（《资本论》英译本三七九页）。这也许是“亚洲社会停滞性之秘密”吧！谓予不信，请看事实。

史载汉高入关，“与父老约法三章……除去秦法，吏民皆按诸如故……乃使人与秦吏行至县乡邑告论之，秦民大喜”（《前汉书·高帝纪》）。为什么如此呢？很明白的就是汉高只赶走秦室的专制魔王，未震撼当时的经济基础。何况所除去的秦法，不久又恢复转来。《前汉书·刑法志》说：“其后四夷未附，兵革未息，三章之法不足以御奸。于是相国萧何攈摭秦法，取其宜于时者作律九章。”于是“收孥”“连坐”“夷三夷”等等都用为统治的“铁鞭”了。农民暴动刚刚把旧的金字塔打碎，而新的金字塔又在旧的废墟上建筑起来，老百姓始终在封建樊笼中翻筋斗。这便是秦汉之间的变革。

地主经济

依照上述论据，而断定汉代的经济结构与秦代一模一样，那也是一种误解。汉代虽然在经济基础上与秦代无根本的差别，可是一般说来仍是向前发展的，甚至有

人说："汉朝之更替秦朝是中国封建制度走上自由发展之路。"（沙发诺夫）

在楚汉连年战争之际，生产停滞，经济破坏，是一种事实。如《食货志》上说："汉兴，接秦之敝，诸侯并起，民失作业而大饥馑，凡米石五千，人相食，死者过半。高祖乃令民得卖子就食蜀汉。天下既定，民亡盖臧。自天子不能具醇驷，而将相或乘牛车……"可窥见当时上下交困之一斑了。而在扰乱不宁，流离转徙，死者过半的情形下面，有一部分的土地重行分配，亦事实上所必有。"故秦苑囿园池，令民得田之"（《前汉书·高帝纪》），即其一例。可是这并没有摧毁地主的势力。下面有董仲舒的一段话，可引为证：

> 秦……用商鞅之法……除井田，民得卖买，富者田连仟佰，贫者亡立锥之地。又颛川泽之利，管山林之饶。荒淫越制，逾侈以相高；邑有人君之尊，里有公侯之富；小民安得不困？……或耕豪民之田，见税什五。故贫民常衣牛马之衣，而食犬彘之食……汉兴循而未

改……(《食货志》)

所谓“循而未改”，即是说：地主的权利是未受损失的，岂止“未受损失”而已，且又从而附益之。文景之减免田租(实为田税)，本是旧史家所夸赞的“仁政”，其实是施惠于地主的。荀悦批评文帝免税令说：

古者什一而税，以为天下之中正也；今汉氏或百一而税，可谓鲜矣。然豪强人占田逾侈，输其赋大半。官收百一之税，民收大半之赋。官家之惠，优于三代；豪强之暴，酷于亡秦。是上惠不通，威福分豪强也。今不正其本，而务除租税，适足以资豪强也。(《汉纪》卷八)

所以汉代地主在皇帝扶掖之下，其势力是突飞猛进的。在西汉之初，司马迁还只说素封之家与千户侯等(《货殖列传》)，到后汉之末，仲长统则认为“财赂自营，犯法不坐”的豪人，荣乐过于封君了。他说：

> 豪人之室，连栋数百，膏田满野，奴婢千群，徒附万计……琦赂宝货，巨室不能容；马牛羊豕，山谷不能受。妖童美妾填乎绮室；倡讴妓乐列乎深宫。宾客待见而不敢去，车骑交错而不敢进。三牲之肉臭而不可食，清醇之酎败而不可饮。睇盼则人从其目之所视，喜怒则人随其心之所虑。此皆公侯之广乐，君长之厚实也。（《后汉书·仲长统传》）

以上是一幅汉代地主发展——土地集中——的缩图，从这幅缩图中可以看出他们确是当时最优越的阶级。

在这里要附带指出的，汉代地主中，有使用奴隶劳动者，“奴婢千群”，仲长统已说过了，如《平准书》中有“敢犯令没入田僮”，“……比没入田田之，其没入奴婢，分诸苑养狗马禽兽”。《司马相如列传》中有“卓王孙家僮八百人，程郑亦数百人”，《张安世传》中有“家童七百人，皆有手技作事，内治产业”等语。汉光武免奴婢之诏令尤多（赵翼《廿二史劄记），不过由此得出结论，以汉代为奴隶社会（如王宜昌），或者以“汉时社会的结构是封建制度与奴隶的联合，都是不正确的，因为当时的奴隶劳动并不怎样普遍。何况自战国以后一直到明末清初都还有富豪畜奴之事”（参看金兆梓《新中华本国史》上编一四七——一五三页）？杜博洛夫斯基说得好：奴隶经济是存在于最不同的时代中，它在巴比伦及埃及时代曾经有过，它在希腊及罗马时代曾经有过，它在封建时代，甚至在美国南部资本主义极繁盛的时代也曾有过，甚至帝国主义时代，在有些殖民地及半殖民地的国家中也还可以遇到。(《亚细亚生产方式，封建制度，农奴制度及商业资本之本质问题》六三页）我们能创立“永久奴隶论”么?

商业资本

与地主势力并肩而立的是富商大贾。“汉兴，海内为一，开关梁，弛山泽之禁，是以富商大贾周流天下，交易之物莫不通得其所欲。”(《史记·货殖列传》）于是商业资本蓬勃而起，所谓“用贫求富，农不如工，工不如商也”(《史记·货殖列传》)。晁错是最痛恨商人的，他说：

> 商贾大者积贮倍息，小者坐列贩卖；操其奇赢，日游都市；乘上之急，所卖必倍；故其男不耕耘，女不蚕织；衣必文采，食必粱肉；亡农夫之苦，有阡陌之得；因其富厚，交通王侯，力过吏势；以利相倾，千里游敖，冠盖相望；乘坚策肥，履丝曳缟；此商人所以兼并农人，农人所以逃亡者也。(《汉书·食货志》)

晁错这段话简直是说：商人是农人的“摧命符”，有了商业资本，农村破产就如堤防溃决一样不可收拾了。商人拥有雄厚的财力，不仅足“比千乘之家”(《汉书·货殖传》)，有时兼放高利贷以劫夺封君之所得，如“吴楚七国兵之起时，长安中列侯封君行从军旅，赍贷子钱，子钱家以为关东成败未决，莫肯予。唯毋盐氏出资千金贷，其息十之。三月，吴楚平，一岁之中，则毋盐氏息十倍，用此富关中。关中富商大贾，大氐尽诸田（师古曰氐读抵，抵归也），田墙，田兰，韦家栗氏，安陵杜氏亦巨万”(《史记·货殖列传》)，商人就地主化了。“争于奢侈……物盛而衰”的封君，那得不在商人之前“低首仰给”呢？

但是一般说来，商人在政治上是失势的。就商人方面说：“财或累万金，而不佐国家之急”(《平准书》)；就政府方面说：始终是采取抑商政策的。高祖“令贾人不得衣丝乘车，重租税以困辱之”，本是周知的事实。孝惠高后时，虽“弛商贾之律，然市井之子孙亦不得仕宦为吏”。武帝时固然破格任用东郭咸阳(齐之大盐商)，孔仅(南阳大冶)，桑弘羊(洛阳贾人子)之流，又“除故盐铁家富者为吏，吏道益杂不选而多贾人”，同时，北逐匈奴，西通西域，扩大国外市场以顺应商业资本之需要。可是均输盐铁官之设，“尽笼天下之货物，贵则卖之，贱则买之，如此富商大贾无所牟大利”，即是打击商人的铁拳。而“算缗钱”“告缗钱”的办法，更引起“商贾中家以上大率破”，商人已受累不堪了(《平准书》)。此外如王莽“五均”“六管”之制，皆是束缚商人咽喉的绳索。

地主与商人是两经济结构中两个主要的杠杆，这两个杠杆之最终的支点，不待言，是放在农民的头上。地主经济与商业资本之欣欣向荣，即反映出农民生活之奄奄待毙。所谓“富者累巨万，贫者食糟糠”，就是这种畸形发展的写照。因为在丧乱既平秩序恢复后，跟着生产力之进步，剥削也就增加了。可是，榨取农民血液的，除地主商人外，还有庞大的统治阶级，皇帝则“量吏禄，度官用，以赋于民”，封君则规定食邑若干户，官僚则规定俸给若干石，便把个中的秘密揭穿了。史载“汉兴七十余年之间……都鄙廪庾皆满，而府库余货财，京师之钱累巨万，贯朽而不可校。大仓之粟，陈陈相因，充溢露积于外，至腐败不可食”（《平准书》）。显然是农民血液的结晶！然而这还是就“休养生息”的时候说的。一到“外事四夷，内兴功业”之际，既用之如泥沙，自不得不取之尽锱铢。所谓“算赋”（人民从十五岁起到五十六岁止，每人每年出钱百二十文，谓之一算；以治库兵，车马），所谓“口赋”（从三岁到十四岁的人出的，每年二十文以食天子。后因贡禹反对，以为人民产子，三岁出口赋，至有生子辄杀之事，改从七岁起征），所谓“更赋”（是人民应服兵役的代价），都是汉代的新花样。赋税既如毛，民命就如草了。当时另有二起破天荒的创举：一是纳粟拜爵；一是置盐铁官。前者扩张豪富在政治上的势力；后者翻成近代的术语便是盐铁官卖政策。这件事，曾引起过贤良文学与桑弘羊的激烈争论（详见桓宽《盐铁论》）。就好的方面说：盐铁官卖固足以抑制富商大贾，但就坏的方面说：盐铁的广大消费者仍是农民，官家垄断盐铁确对农民有害，以此为“制四夷安边足用之本”，无异向农民吸髓剥肤。此外，应当注意到的，汉代货币经济的发展实为不可掩之事实。高祖时有荚钱；高后时有八铢钱；文帝时有四铢钱；武帝时有皮币，赤仄钱，三铢钱，五铢钱；王莽时有大钱，契刀，错刀，宝货（金银龟贝钱布），小钱；光武时有五铢钱；灵帝时有四出文钱；献帝时有小钱。而吴邓私钱，郡国钱，以及民间的伪钱尚不在内。（参见《文献通考·钱币门》及《平准书》）像这样十分紊乱的币制，当然也非小民之福呵！以上都是汉代政府机关的“德政”。再加上封君的巧取豪夺，与官僚的横暴贪污，即反映出整个统治阶级榨取农民的全景。

农民生活

在地主，商人，政府机关共同榨取之下，农民的生活怎样呢？兹介绍一个简单的统计：

> 今一夫挟五口，治田百晦（古亩字），岁收晦一石半，为粟百五十石，除十一之税十五石，余百三十五石。食人月一石半，五人终岁为粟九十石。余有四十五石，石三十，为钱千三百五十。除社闾尝新春秋之祠用钱三百，余千五十。衣人率用钱三百，五人终岁用千五百，不足四百五十。不幸疾病死丧之费，及上赋敛，又未与此。(《汉书·食货志》)

假定加入疾病死丧之费及上赋敛，结果又怎样呢？请看晁错说的一段话：

> 今农夫五口之家，其服役者不下二人，其

能耕者不过百晦，百晦之收，不过百石。春耕，夏耘，秋获，冬藏；伐薪樵，治官府，给县役；春不得避风尘，夏不得避暑热，秋不得避阴雨，冬不得避寒冻，四时之间，亡日休息；又私自送往迎来，吊死问疾，养孤长幼在其中；勤苦如此，尚复被水旱之灾，急政暴虐，赋敛不时，朝令而暮改；当其有者半贾而卖；亡者取倍称之息；于是有卖田宅，鬻子孙以偿债者矣。（同前）

从这两段话中，看出农民经济的商品化（如石三十，为钱千三百五十；当其有者半贾而卖），看出高利贷的剥削（亡者取倍称之息），简直是农民破产的具体说明。然而这还是就自耕农说的，至于那些“耕豪民之田，见税什五”的佃农，每年要把收成的一半交给地主，情形自然更坏了。最后的出路是：男子则为兵，为匪，为奴；女子则为婢，为倡；向火坑中走去。遇到凶年，则老实不客气的“人吃人”（《汉书》中记载“人相食”的文字很多）。所以沙发诺夫说：“中国封建制度，一开始是蚕食山林，继而又吞并牧场和农民的畜牧；同时它又助成

土地的枯竭；到最后便达到了吃人的地步。”（《中国社会发展史》一九四页）

次要的矛盾与基本的矛盾

上面说过皇帝，封君，官僚，地主，商人与农民了。前三种同是“食租衣税”的人，但他们相互之间也有相当的矛盾，皇帝与封君尤甚，“强干弱枝”之说即是建立在这种矛盾上面的。地主与商人或“与千户侯等”，或“足比千乘之家”，他们都以封君为牺牲而强大。封君受皇帝，地主，商人三种势力的打击，其日趋没落可说是历史的必然。就地主与商人言：商人系暴发户，不免给地主以威胁。惟因汉代皇帝采用重农抑商政策，不啻是地主的护身符，所以商人终究敌不过地主。可是这些社会矛盾都是次要的。而最基本的矛盾，无过于一切上层阶级（从皇帝到商人）与农民的对抗。农民是唯一的生产者，是唯一的受剥削者。换言之：汉代的土地制度即是社会矛盾的中心。董仲舒看到这一点，所以主张“限民名田”；师丹看到这一点，所以主张“限田”；孔光与何武看到这一点，所以奏请“诸侯王以至吏民名田皆毋过三十顷，诸侯王奴婢二百人，列侯公主百人，关内侯吏民三十人”；王莽看到这一点，所以“更名天下田曰王田，奴婢曰私属，皆不得卖买，其男口不过八而田过一井者分余田与九族乡党”（详见《食货志》）；荀悦看到这一点，所以主张“以口数占田，为之立限”（《文献通考·田赋门》）。不幸这些办法都未实行（王莽虽试行过，不久亦取消），以致矛盾一天天发展，爆裂而成“赤眉”与“黄巾”的事变，在上引起周期的风暴。

第二节　两汉的政制

政治组织与秦代的比较

楚汉相争之际，曾经引起贵族余孽的抬头，项羽“分裂天下而封王侯”，就是铁一样的事实。在这种氛围气中，郦食其有过“复六国后以桡楚权”之建议，高祖本已同意，因张良坚决反对而中止。张良当时说过下面一段话：

且天下游士离其亲戚，弃坟墓，去故旧，

从陛下游者，徒欲日夜望咫尺之地。今复六国。立韩魏燕赵齐楚之后，天下游士各归其主，从其亲戚，反其故旧坟墓，陛下与谁取天下乎？（《史记·留侯世家》）

很明白的看出张良的意见与“师今”的李斯不同，李斯是根本废止分封的，而张良则借“游士……望咫尺之地”为反对复立六国之理由，换言之，即以新贵族去代替旧贵族。所以陆续封了齐王（韩信）、梁王（彭越）、韩王（信）、淮南王（英布）、赵王（张敖）、燕王（卢绾）……。后来，这些新贵族在“狡兔死，走狗烹”的铁则之下，杀的杀了，跑的跑了。到“高祖末年……同姓为王者九国，唯长沙异姓。而功臣侯者百余人……大者五六郡，连城数十，置百官宫观，僭于天子。汉独有三河东郡颍川南阳，自江陵以至西蜀，北自云中至陇西与内史，凡十五郡。而公主列侯颇食邑其中”（《汉兴以来诸侯王年表》）。显然是“列爵分土”之旧制复活，在这一点上，似乎应该说汉初政治有几分“逆转”（有些历史家承认汉朝政治组织是秦始皇集权制与封建分权制的一种混合形式）。

然而历史的车轮毕竟是前进的。关中财富居天下之六，而高祖又从刘敬之议定都关中“搤天下之肮而附其背”（《史记·刘敬传》），在经济上既承袭秦代的遗产，在政治上当然要取法秦制。所以汉代中央与地方官制，大率以萧何所收藏之秦丞相御史律令图书为蓝本。如果把《前汉书·百官公卿表》打开一看，不独丞相（后更名相国），大尉，御史大夫三巨头为秦所旧有，即在三巨头以下，如掌宗庙礼仪的太常（秦名奉常），掌宫殿掖户的光禄勋（秦名郎中令），掌宫门御屯兵的卫尉，掌舆马的太仆，掌刑辟的廷尉，掌诸归义蛮夷的大鸿胪（秦名典客），掌亲属的宗正，掌谷货的大司农（秦名治粟内史），掌山泽之税的少府，所谓“九寺六卿”，无一不是依样葫芦。后来固然有些变更——如武帝改太尉为大司马，成帝改御史大夫为大司空，哀帝改丞相为大司徒，光武又改为司徒公，太尉公，司空公（谓之三公）——但仍是名异质同。不过“光武愠数世之失权，忿强臣之窃命，矫枉过直，政不任下，虽置三公，事归台阁（尚书），自此以来，三公之职备员而已”（《后汉书·仲长统传》)。地方官制仍分郡县两级:郡有郡守,郡尉,县设令长及尉。只将秦代的监御史裁撤,而代以刺史,到灵帝时又改刺史为州牧而已。乡村中十里一亭,亭有长,十亭一乡,乡有三老(掌教化),啬夫(听讼,收赋税),游徼(掌徼循),禁盗贼,皆秦制。所谓“秦兼天下,建皇帝之号,立百官之职。汉因循而不革,明简易,随时宜也”(参见《前汉书·百官公卿表》,《后汉书·百官志》)。

政权属于地主抑属于农民?

在叙述汉代的政制时,应该说到汉代政权的性质。我在前面已说过:秦代的政权是代表土地资本(地主)的,又说过:汉代地主经济比秦代更向前发展,汉代皇帝采取重农抑商政策,不啻是地主的护身符,似乎在这些话的“暗示”中,可以看出汉代政权就是秦代政权之继续。现在先就史实考查一下,再看这种“暗示”是否正确?

高祖起兵之初,心目中只注意“父老”,如“还军霸上召诸县父老豪杰”,“与父老约法三章”,“为父老除害”……父老是什么？自然不是什么“穷光蛋”而是有土地有势力的人——豪民的首领。

在承平的时候，劝导农桑，奖励力田，为汉代第一要政。如：

> 文帝诏曰：夫农夫天下之本也，其开籍田。朕亲率耕，以给宗庙粢盛。(《前汉书·文帝纪》)
>
> 景帝诏曰：朕亲耕，后亲桑……为天下先。(《前汉书·景帝纪》)
>
> 光武诏曰：往岁水旱蝗虫为灾。谷价腾跃，人用困乏，朕惟百姓无以自赡，恻然悯之；其命郡国有谷者给禀……二千石勉加循抚，无令失职。(《后汉书·光武帝纪》)
>
> 明帝诏曰：夫春者岁之始也……比者水旱不节，边人食寡，政失于上，人受其咎，有司其勉顺时气，劝督农桑，去其螟蜮以及蝥贼。(《前汉书·明帝纪》)

像这样的诏令，不胜枚举。在地主经济占优势的条件之下，皇帝劝导农桑，奖励力田，除了替地主增殖财富加速土地集中外没有旁的意义。固然也有时开过什么“赐鳏寡孤独笃癃贫不能自存者粟人三斛人五斛”的皇恩，这不过是“猫儿哭老鼠”的假慈悲，借此掩饰封建统治之阶级性罢了。

其次，再看汉代做官的是那些人。景帝诏曰：

> 今訾算十以上乃得官（应劭曰：十算，十万也）。廉士算不必众，有市籍不得官，无訾又不得官，朕甚愍之！訾算四得官，亡令廉士久失职，贪夫长利。（《前汉书·景帝纪》）

这段话极明白！商人不得做官，没有十万家财的人也不得做官（就是廉士也要四万），非商人而有十万家财，那就只有地主够资格。所以断定汉代的政权属于地主，不是无根据的。

依照上面的分析，便可知道拉狄克以为汉代是农民政权，甚至把这种农民政权看成中国历史的特点（《中国历史之理论的分析》六三——六八页），真是一种“海

外奇谈”。薛农山竟把这种“海外奇谈”当做“千秋定论”，宁非不可思议之事么？（《中国农民战争之史的研究》上册第八页）

第三节　汉初皇室与封君的矛盾

矛盾的内容与其解决的方案

我在前面第四章第四节曾说过：“封建制度内在的矛盾，也像剥茧抽丝一样，层出不穷。”汉代政治亦是如此。高祖既将各功臣——异姓侯王——摧残殆尽，以为只有骨肉之亲可靠，曾说：“非刘氏而王者天下共击之！”当时“同姓为王者九国，唯长沙（吴芮）异姓。”“自雁门以东，尽辽阳，为燕代；常山以南，太行左转，渡河济，渐于海，为齐赵；谷泗以往，奄有龟蒙，为梁楚；东带江湖，薄会稽，为荆吴；北界淮濒，略庐衡，为淮南；波汉之阳，亘九嶷，为长沙。诸侯比境，周匝三垂（北东南也），外接胡越。”（《前汉书·诸侯王表》）借同姓以屏藩皇室，本是高祖如意算盘。但“天下初定，故大城名都散亡，户口可得而数者十二三”，各封君食邑虽广，皇室尚未受到威胁。“后数世，民咸归乡里，户益息”，则渐成尾大不掉之势。皇室与封君的利害冲突，把“骨肉”的纽带打断了。到这时候就免不了要演“煮豆燃萁”的趣剧。史载吴王濞（高祖兄仲的儿子）受封之日，“高祖召濞相之，谓曰：若状有反相……因拊其背，告曰：汉后五十年，东南有乱者，岂若耶？然天下同姓为一家也，慎无反；濞顿首曰：不敢”（《史记·吴王濞列传》）。可是，吴有铜山，又滨海，铸钱煮盐，无赋于民而国用足。羽毛既丰，岂甘雌伏，所以到景帝三年，领导吴楚七国高举叛旗的人，即是这位“顿首”“不敢”的刘濞。

汉代士大夫中首先反对封君者要算青年政治家的贾谊，他的《治安策》是一篇不朽的文章，内中描写当时的危机有下面一段话：

> 今或亲弟（指淮南厉王长）谋为东帝，亲兄之子（指齐王悼惠王子济北王兴居）西乡而击，今吴又见告矣（时吴王濞不循汉法，有告之者）……然而天下少安，何也？大国之王，

> 幼弱未壮，汉之所置傅相方握其事。数年之后，诸侯之王，大抵皆冠，血气方刚；汉之傅相，称罪而赐罢；彼自丞尉以上，遍置私人。如此，有异淮南济北之为耶？此时而欲为治安，虽尧舜不治。（《资治通鉴》卷十四）

他解释反叛的真相，不是什么亲或疏的问题，而另有其必然性。他说：

> 臣窃迹前事，大抵强者先反。淮阴王楚最强，则最先反；韩信倚胡，则又反；贯高因赵资，则又反；陈豨兵精，则又反；彭越用梁，则又反；黥布用淮南，则又反；卢绾最弱，最后反。长沙乃在二万五千户耳，功少而最完，势疏而最忠；非独性异人也，亦形势然也。曩令樊，郦，绛，灌，据数十城而王，今虽以残亡可也。令信越之伦，列为彻侯而居，虽至今存可也。（《汉书·贾谊传》）

他以后则说出釜底抽薪的办法，以为：

> 欲诸王之忠拊则莫若令如长沙王，欲臣子之勿菹醢，则莫若令如樊郦等，欲天下之治安，莫若众建诸侯而少其力。力少则易使义，国小则亡邪心。令海内之势，如身之使臂，臂之使指，莫不制从。……割地定制，令齐赵楚各为若干国，使悼惠王、幽王、元王之子孙，毕以次各受祖之封地，地尽而止。其分地众而子孙少者，建以为国，空而置之，须其子孙生者举使君之。一寸之地……一人之众，天子亡所利焉，诚以定治而已。（同上）

我们从贾谊的对策中，不仅窥见皇室与封君相互间矛盾的紧张，并且窥见解决这种矛盾的具体方案。

七国反叛与封君的结局

皇室与封君的矛盾，既日趋尖锐化好像地雷埋在地下一样，有了一星之火即行爆发。晁错便是点火以爆发地雷的人，他主张硬干——削地，以为“削之亦反，不削亦反，削之其反亟祸小，不削反迟祸大”，乃先后削楚之东海郡，吴之豫章郡会稽郡，赵之河间郡以及胶西六县。这样一来，吴王濞感受“削地无已”的恐怖，就联合楚，赵，胶西、济南、灾川，胶东，以诛晁错为名，举兵西向了。这叫做七国之乱。结局，晁错葬送于事变之中，而七国亦被周亚夫个别击破。胜利之果，归于皇室，自然不是偶然的。第一，吴国固然“积金钱，修兵革，聚谷食，夜以继日，三十余年”，仍不能与握全国财富十分之六的关中相匹敌。第二，七国本身利害不一致，不若皇室军事指挥之统一。第三，吴楚的饷道为周亚夫所截断，而皇室军队则有荥阳敖仓之粟源源接济（参见《史记 · 吴王濞列传》），尤有进者：当时封君在经济上既与地主相冲突，复受商人的蚕食，正在没落之中。“夕阳无限好，只是近黄昏”，安能与受全国地主拥护的皇室抗衡呢？有了这些原因，就注定了七国破灭的命运。这次事变，可以说是皇室与封君争斗的链锁上最重要之一环，皇室握住了这一环，便可制胜全局。到武帝时从主父偃之请，令诸侯推恩分封子弟，那就易如反掌了。

"自此以来，齐分为七，赵分为六，梁分为五，淮南分为三。皇子始立者大国不过十余城，长沙燕代，虽有旧名，皆亡南北边矣……诸侯惟得衣食租税，不与政事。至于哀平之际，皆继体苗裔，亲属疏远，生于帷墙之中，不为士民所尊，势与富室无异"（《前汉书·诸侯王表》），迄于东汉，"光武既定天下，未尝有尽王子弟以镇服天下之意。盖是时封建之实已亡，尺土一民，皆自上制之"（《文献通考·封建门》）。强干弱枝之势成，皇室与封君的矛盾就暂时消灭了。

第四节　两汉的对外政策

击匈奴

说到汉代的对外政策，首先要注意匈奴。匈奴本是游牧部落，以北地苦寒，时时企图向南方迁徙，侵入水草肥美的黄河流域。秦始皇曾使蒙恬将数十万之众击之，匈奴北徙十余年。及蒙恬死，诸侯叛秦，边鄙戍卒皆逃散，于是匈奴复乘机入寇。当时匈奴内部已统一，《史记》所谓"至冒顿而匈奴最强大，尽服从北类，而南与中国为敌国”(《匈奴列传》)者是也。高祖御驾亲征，受困于平城者七日，卒以和亲了结，并岁赠絮缯酒米食物，约为兄弟。这种政策，继续了六七十年，说得好听一点，叫做“和戎”。其实就是“投降进贡”。所以贾谊很悲愤的说：

> 凡天子者天下之首，何也？上也。蛮夷者天下之足，何也？下也。今匈奴嫚侮侵掠，至不敬也。而汉岁致金絮采缯以奉之，足反居上，首顾居下，倒县如此，莫之能解，犹为国有人乎？可为流涕者此也！（《资治通鉴》卷十四）

一直到武帝时，对外政策才有彻首彻尾的改变，这是有理由的。就政治上说：吴楚七国之乱已平，内部安静，可以全力御侮。就经济上说：在长期休养生息之后，商品经济有空前的进展，要求推广国外市场。有了新的社会条件，所以武帝坚决的用卫青、霍去病之流以武力向匈奴压迫，大胜特胜，如“得胡首虏骑万八千余级”，“得胡首虏三万余人”，“斩捕匈奴首虏万九千余级”之事，史不绝书。“是后匈奴远遁，而幕南无王庭。”(《史记·匈奴列传》）宣帝时值匈奴内部争立，呼韩邪单于来降。稽首臣服，三世称藩，北方无犬吠之惊者六十余载。到王莽时又复构祸。东汉以后，匈奴分为南北，南匈奴入朝，愿为中国守御，在朔方，五原，云中等郡与汉人杂居。北匈奴则被汉将窦宪等追奔逐北，大部分窜入欧洲。终汉之世，匈奴就不大作怪了。

通西域

西域系匈奴右臂，为制服匈奴起见，不能不通西域，把匈奴的右臂折断。汉代通西域，前后有两个著名的探险家：一是武帝时的张骞，一是明帝时的班超。兹分别叙述如下。

西域本三十六国，其后稍分至五十余，皆在匈奴之西，乌孙之南。大率土著，有城郭田畜，与匈奴乌孙异俗，故皆服属于匈奴。张骞本人，被派往西域两次：第一次目的，想联大月氏夹击匈奴，不得要领。所到的地方，除大月氏外，有大宛，大夏，康居。第二次目的，想招乌孙住河西以制匈奴，亦不得要领。曾分遣副使到大宛，康居，大月氏，大夏，安息，身毒，于窴，扜罙等国。乌孙及副使所到各国都有使者来中国报谢。从此，武帝要锐意通西域，时常派使者出去，足迹所及更广。后来以大宛不献“天马”，曾派大兵出征，大宛卒屈服。诸小国也闻风使其子弟入朝为质。乌孙王尚为了“愿为黄鹄归故乡”的江都公主与中国来往益密。西域内属者有三十六国，武帝置使者校尉护之。宣帝改为都护。元帝又置戊己二校尉屯田于车师。哀平间自相分割为五十五国。王莽时与中国绝往来。

东汉之初，西域诸国不堪匈奴之扰，多遣使求内属。光武以天下初定，未遑外事，竟不许。到明帝时，第二个探险家——班超遂继张骞之后而立功异域。鄯善，于寘，疏勒，番辰，莎车，月氏，焉耆……次第平定，西域五十余国都纳质内附。班超在西域三十一年，其随从只三十六人，大抵“以夷狄攻夷狄”，故能威震殊俗。条支安息等国，远在四万里外，皆重译贡献。班超回国后，未久，西域背叛，安帝弃置不管，自建武（光武年号）至于延光（安帝年号），西域三绝三通。顺帝时，班超的儿子班勇，又击破焉耆，于是龟兹，疏勒，于寘，莎车等十七国皆来服从，而乌孙及葱岭以西遂不受中国支配了。（参考《史记·大

宛传》，前后汉书西域传，《后汉书·班超传》）

开西南夷

据《前汉书》说：西南夷如夜郎，滇，邛都……皆椎结，耕田，有邑聚。如嶲，昆明……编发，随畜移徙，亡常处，亡君长。如徙，莋都，冉駹……其俗或土著，或迁徙。……此皆巴蜀西南外蛮夷也。

事情是这样发生的：武帝时，唐蒙在南越吃到蜀的“枸酱”，知从夜郎国经牂牁江而来。遂上书请通夜郎以制南越。武帝许之。唐蒙到夜郎，夜郎旁小邑，贪汉缯帛，允置犍为郡。这是开西南夷之始。后来张骞从西域归，言在大夏时见蜀布，邛竹杖，知来自东南身毒国，以为从蜀可通身毒，由身毒可通大夏，不必再走匈奴。于是再事西南夷。及南越反，武帝征南夷兵，且兰君恐远行，旁国虏其老弱，乃与其众反。卒被汉削平，置牂牁郡。于是西南夷各国都害怕起来，请臣置吏，就置粤嶲，沈黎，文山，武都等郡。以后又平滇，置益州郡。这是开西南夷的经过。云南贵州从此成为中国领土之一部。（详见《前汉书·西南夷传》）

与欧洲间未达

以上所述，汉代的对外关系，似乎原于亚洲，其实并不止此。据《后汉书·西域传》载有："永元九年（和帝年号）班超遣甘英使大秦，抵条支，临大海欲渡，而安息西界船人谓英曰：海水广大，往来者逢善风，三月乃得渡。若遇迟风，亦有二岁者。故入海人皆赍三岁粮。海中善使人思土恋慕，数有死亡者。英闻之乃止。"大秦即是统一欧洲的罗马，其文化远在西域各国之上。史称其国"以金银为钱，银钱十，当金钱一，与安息天竺交市于海中，利有十倍。其人质直，市无二价，谷食常贱，国用富饶……其王常欲通使于汉"。假使甘英这次果真前往，也许当时受到大的刺激，使我国历史的轮轨加速前进也未可知？后来"桓帝延熹九年，大秦王安敦遣使自日南徼外献象牙，犀牛，玳瑁，始乃一通焉"。这时候已是汉代末叶，距甘英"望洋兴叹"之日，约迟七十年，汉代已蹈于"国步艰难"之境，再没有"好大喜功"的余力了。唐人诗句："花开堪折直须折，莫待无花空折枝。"读此诗，对甘英有遗憾焉。

对外政策的根本动力

武帝确是一个了不得的英主，他处在封建统治的黄金时代，把烈祖烈宗的对外政策，一脚踢翻，创造了新的途径，这是值得我们赞叹的！如果把这种辉煌灿烂的成绩，归功于武帝个人，以为由于他的雄才大略，远瞩高瞻，那就堕落到崇拜英雄的陷阱中去了。我在前面，已约略指出武帝对外政策的改变实具备新的条件。换言之，就是政治的统一，经济的进展，不能不向国外扩大市场。扩大市场的要求，即是汉代击匈奴，通西域，开西南夷的根本动力。

司马迁说："天子既闻大宛，大夏，安息之属，皆大国，多奇物土著，颇与中国同业，而兵弱，贵汉财物……天子欣然！……自博望侯开外国道以尊贵，其后从吏卒皆争上书言外国奇怪利害求使……其使皆贫人子，私县官赍物，欲贱市以私其利外国……"(《大宛传》)

班固说："孝武之世，图制匈奴……遭值文景玄默，养民五世，天下殷富，财力有余，士马强盛。故能睹犀布玳瑁则建珠崖七郡，感枸酱竹杖则开牂牁越隽，闻天马蒲陶则通大宛安息。自是以后，明珠文甲通犀翠羽之

珍，盈于后宫；蒲梢龙文鱼目汗血之马，充于黄门；巨象师子猛犬大雀之群，食于外囿。殊方异物，四面而至。”（《西域传》）

范晔说：“汉世张骞怀致远之略，班超奋封侯之志。终能立功西遐，羁服外域。自兵威之所肃服，财物之所怀诱，莫不献方奇，纳爱质……立屯田于膏腴之野，列邮置于要害之路。驰命走驿不绝时月；商胡贩客日款于塞下………”（《西域传》）

从这些陈旧的史实中，证明中国封建“帝国主义”，其目的为发财（交换与劫掠）。沙发诺夫说：“夺取商路的斗争，只是与匈奴斗争直接继续之一幕。”（《中国社会发展史》二二三页）这句话不是没有根据的。可是夺取商路，不过满足一部分人的大欲，而师旅馈赠之费则转嫁于全国农民，汉代对外政策的社会意义就是如此。

第五节　封建政治的附骨疽

矛盾的展开

封建政治是矛盾百出的，旧的矛盾解决了，新的矛盾又强大起来，大有“如扶醉人，扶得东来西又倒”之势。汉初政治上的矛盾本是“内轻外重”，皇室与封君形成对峙之局。自景帝削平七国，武帝令诸侯推恩分封子弟以后，封君成了食租衣税的寄生虫，中央政府的权威渐渐提高，变成“内重外轻”了。这样一来，矛盾便向另一方面展开，从此“季孙之忧不在颛臾而在萧墙之内”了！萧墙之内的祸变是什么呢？老实说：就是中央政府的内部发生两个“附骨疽”——一是外戚，一是宦官——这两个东西使汉代的封建统治走向腐朽与死灭之路。为什么呢？这是不难了解的。因为皇帝处在矛盾百出的环境中，觉得一切都靠不住，只有贵戚之卿与近习之竖（宦官）可供心腹。而在货币经济发展的汉代，客观上已为上层官僚培植了腐烂的基础，所以外戚与宦官就成为封建政治的“附骨疽”了。先从外戚讲起。

汉代外戚之祸

一般说来，外戚之祸是与汉代相终始的。这也不是偶然的事，而实具有特殊的历史渊源。高祖得吕氏之助而成帝业，正如田生所说：“今吕氏雅故，本推毂高帝就天下，功至大。”（《史记·荆燕世家》）所以惠帝死，吕后临朝，封诸吕为王，使吕产吕禄掌兵符，几乎夺取刘氏而代之。这是汉代外戚祸国的矛盾第一幕。吕氏失败，外戚之势力稍杀。武帝虽然任用过几个裙带关系的人——如窦婴，田蚡，卫青，霍去病，李广利……但大权在握，尚无流弊；晚年立弗陵为太子（即昭帝）而杀其母，本是防止外戚用事。不料霍光受遗诏辅政，仍开外戚专擅之局，他曾废过做一百天皇帝的昌邑王，他的老婆为谋自己的女儿做皇后，不惜把宣帝的许皇后毒死。元帝以后，外戚更占优势，简直“喧宾夺主”，使刘氏子孙失去其独立性，如许氏，傅氏，丁氏，王氏，都以大司马辅政，一手遮天，皇帝无异外戚的傀儡。王氏尤显赫，王凤王音王商王根相继辅政，到王莽更由居摄而即真了。东汉之初，鉴于西汉覆辙之祸，所以光武明章三世都不假外戚以大权。以后女后临朝，外戚便乘机而起，为祸之烈，亦不减西汉。如窦宪，如阎显，如梁冀……都是气焰万丈，压倒一切之人。然而外戚如“附骨疽”，骨腐朽，疽也随之死灭。外戚既祸汉，而外戚本身受祸亦惨。西汉外戚保全者只四家（景帝王后，宣帝许后王后，哀帝母丁姬家），东汉亦只三家免祸（光武郭后阴后，明帝马后）。范晔说：“东京皇统屡绝，权归女主，外立者四帝，临朝者六后，莫不定策帷帟，委事父兄。贪孩童以久其政，抑明贤以专威。任重道悠，利深祸速。……赴蹈不息，焦烂为期。终于陵夷大运，沦亡神室。”这种论断，本符事实。可惜未能观察入微，看透附骨疽的外戚是封建政治组织内不可分离的因素。（参见《史记·外戚世家》,《前汉书·外戚传》,《后汉书·皇后纪》）

汉代宦官之祸

其次说到宦官，也是封建政治的附骨疽，其蛀蚀封建统治，本与外戚相同，但他们与外戚之间，亦有不可调和的冲突，汉代宦官与外戚互斗的例子是数不胜数的，而以东汉为尤烈。兹从赵翼《廿二史劄记》中摘引一节于下，以见宦官祸汉之始末。

> 汉承秦制，以阉人为中常侍，然亦参用士人。武帝数宴后庭，故奏请机事，常以宦者主

之。至元帝时，则弘恭，石显已窃权干政，萧望之，周堪俱被其害，然犹未大肆也。（案《班固叙传》，彪之父稚为中常侍，是成帝时中常侍尚兼用士人。）光武中兴，悉用阉人，不复参用士流。和帝践祚，幼弱，窦宪兄弟专权，隔限内外，群臣无由得接，乃独与宦者郑众定谋收宪，宦官有权自此始。然众小心奉公，未尝揽权。和帝崩，邓后临朝，不得不用阉寺，其权渐重。邓后崩，安帝亲政，宦官李国，江京，樊丰，刘安，陈逵，与帝乳母王圣，圣女伯荣，帝舅耿宝，皇后兄阎显等，比党乱政，此犹宦官与朝臣相倚为奸，未能蔑朝臣而独肆其恶也。及帝崩，阎显等专朝争权，乃与江京合谋，诛徙樊丰，王圣等，是显欲去宦官，而反借宦官之力。已而北乡侯入继，寻梦。显又援立外藩。宦官孙程等不平，迎立顺帝，先杀江京，刘安，陈逵，并诛显兄弟，阎后亦被迁离宫。是大臣欲诛宦官必借宦官之力，宦官诛大臣，则不借朝臣力矣。顺帝既立，以梁商女为皇后，商以大将军辅政，尊亲莫二，而宦官张逵，蘧政，石光，谮商与中常侍曹腾，孟贲，云欲废帝。帝不信，逵等即矫诏收缚腾，贲。是竟敢违帝旨而肆威于禁近矣。顺帝闻之，大怒，逵等遂伏诛。及帝崩，梁后与兄冀立冲帝，冲帝崩，又立质帝。质帝为冀所鸩，又援立桓帝，并以后妹为桓帝后，冀身为大将军辅政，两妹一为皇太后，一为皇后，其权已震主矣。而帝默与宦官单超，左悺，具瑗，徐璜，唐衡定谋，遂诛冀。是宦官且诛当国之皇亲矣。然此犹曰奉帝命以成事也。桓帝梁后崩，以窦武女为皇后。帝崩，武与后定策，立灵帝，窦后临朝，武入居禁中辅政，素恶宦官，欲诛之；兼之有大傅陈蕃与之同心定谋，乃反为宦官曹节，王甫等所杀；然此犹曰灵帝青太后亲子，故节等得挟帝以行事也。至灵帝崩，何后临朝。立子办为帝，后兄何进以大将军辅政，已奏诛宦官蹇硕，收其所领八校尉兵。是朝权兵权，俱在进手，以此尽诛宦官，亦复何难？乃又为宦官张让，段珪等所杀。是时军士大变，袁绍，袁术，闵贡等因乘乱诛宦官二千余人，无少长皆杀之。于是宦官之局始结，而国亦随之亡矣。国家不能不用阉寺，而一用之，则其害如此！盖地居禁密，日在人主耳目之前，本易窥嚬笑而售谗谀，人主不觉意为之移。范蔚《宗传论》，谓宦者“渐染朝事，颇识典故，少主凭谨旧之庸，女君资出纳之命”。及其传达于外，则握王命，口衔天宪，莫能辨其真伪，故威力常在阴阳奥窔之间。迨势焰既盛，宫府内外，悉受指挥，即亲臣重臣，竭智力以谋去之，而反为所噬。当其始，人主视之，不过供使命，效趋走而已，而岂知其祸乃至此极哉！

以上专就宦官“窃弄朝权”一方面说的。可是宦官之祸，并不止此。试一披阅《后汉书·宦者传》读之，即见他们的罪恶滔天了。

侯览贪侈奢纵，前后请夺人宅三百八十一

所，田百一十八顷。起立第宅十有六区，皆有高楼池苑……制度重深，僭类宫省。(《侯览传》)

割裂城社，自相封赏，父子兄弟被蒙尊荣，素所亲厚，布在州郡，或登九列，或据三司……群公卿士，杜口吞声，莫敢有言；州郡太守，承顺风旨，辟召选举，释贤取愚。(《曹节传》)

所以张钧上书说："窃惟张角所以能兴兵作乱，万人所以乐附之者，其源皆由十常侍多放父兄子弟婚亲宾客典据州郡，辜榷财利，侵掠百姓，百姓之冤无可告诉，故谋议不轨，聚为盗贼。宜斩十常侍，县头南郊，以谢百姓。"(《张让传》)

像张钧这一类的人确是想在宦官身上来找出路以挽救汉末的危局。不幸汉代的封建统治已因外戚与宦官之蛀蚀而成为不治之症，结局亦不过把"宦官二千余人，无少长皆杀之"以为殉葬之具而已！

第六节　王莽变法与太学生干政

王莽的时代背景

王莽变法是汉代政治史上一件大事，也是整个中国政治史上一件大事。要了解王莽变法的意义，须先说明王莽的时代背景。

汉代的土地制度是社会矛盾的中心，这一点，我在本章第一节已说过了。这一矛盾在武帝初年即已尖锐化，所以董仲舒主张“限民名田”。当时武帝没有理会这件事。嗣后跟着货币经济的发展，土地集中的过程因而加速，到哀帝时，“豪富吏民訾数巨万，而贫弱俞困”（《食货志》），可以想见社会矛盾之日益扩大了。丞相孔光与大司马何武因师丹建议“限田”，便奏请诸侯王以至吏民名田皆毋过三十顷，诸侯王奴婢二百人，列侯公主百人，关内侯吏民三十人。以丁傅及董贤等反对，未成事实。而社会矛盾却是依然向前发展的。在这种畸形的土地制度之下，农民求生不得，势必铤而走险。聪明的有远见的王莽处在“火山爆裂”的前夜，自然看出旧的统治不能维持下去。他说：

汉氏减轻田租三十而税一，常有更赋，罢癃百出，而豪民侵陵，分田劫假，厥名三十税一，实什税五也。父子夫妇终年耕耘，所得不足以自存。故富者犬马余菽粟，骄而为邪；贫者不厌糟糠，贫而为奸；俱陷于辜，刑用不错。（《前汉书·王莽传》）

这一段话，把当时的社会矛盾，说得非常明白，用不着再加解释了。王莽变法，即是企图用上层的力量来解决当时的社会矛盾。

新法的内容

无论旧的历史家怎样把王莽骂得狗血淋头，或称他为“奸雄”，或谥他为“篡贼”，然而他以快刀斩乱麻的手段去实行新法，总算我国历史上少有的政治家。新法的内容，有下面几项（参考《食货志》与《王莽传》）：

（一）“……今更名天下田曰王田，奴婢曰私属，皆不得卖买。其男口不盈八而田过一井者，分余田予九族邻里乡党。故无田，今当受田者，如制度，敢有非井田圣制，无法惑众者，投于四裔，以御魑魅。”——这是打击大地主以救济贫困农民的，可以说是宣布土地国有。

（二）设立司市，五均，泉府等官。司市以四时仲月规定物价标准；五均用其本价买进，勿令折钱；物价昂贵时则以平价出卖；泉府放疑，月息百分之三。又“设六筦之令，命县官酤酒，卖盐铁器，铸钱，诸采取名山大泽众物者税之”，“所以齐众庶抑并兼也”。——这是用官卖政策打击富商大贾。

（三）“工商能采金银铜连锡，登龟取贝者……诸取众物鸟兽鱼鳖百虫于山林水泽及畜牧者，嫔妇桑蚕织纴纺绩补缝，工匠医巫卜祝及他方技商贩贾人坐肆列里区谒舍，各自占所为于其在所之县，官除其本计其利，十一分之，而以其一为贡。敢不自占，自占不以实者，尽没入所采取。”——这是对手工业者及小商人取什一之税。

（四）“凡田不耕为不殖，出三夫之税；城郭中宅不树艺者为不毛，出三夫之布；民浮游无事，出夫布一匹；其不能出布者冗（散也）作县官衣食之。”——这是征收“懒捐”，禁止游惰。

（五）“变汉制，以周钱有子母相权，于是更造大钱……契刀，错刀……与五诛钱，凡四品并行。……即真，以为书刻字有金刀，乃罢错刀，契刀及五诛钱。而更作金银龟贝钱布之品，名曰宝货。凡宝货五物六名二十八品。”——这是当时的货币政策。

总之王莽的新法，除第五项把币制弄得一塌糊涂造成新法前途的暗礁外（胡秋原则以为王莽的理想与莫尔［More］同，是想从使用原始货币逐渐达到货币的废止——《国际文化创刊号》），其余各项——尤其是第一第二两项，确是当时打击大地主富商大贾应该采取的断然手段。说他是社会主义者，因不免近于滑稽（因为没有承认奴隶为私属的社会主义者），然而大胆的向全国大地主挑战，下令分配土地与贫困农民，禁止土地卖买，不能不使人佩服他的勇敢。他在我国政治史上的位置，至少与商鞅一样的伟大，在封建庄园制时代宣布土地私有者是商鞅，在地主资本制时代，宣布土地国有者是王莽。这两位大政治家所处的时代虽不相同，但都能顺应历史的趋势，用阔刀大斧，斫断社会矛盾的

“丝结”（Knot）。

王莽失败的主因

可惜王莽与商鞅有一点不同，如果说商鞅是时代的幸运儿，那么，就不能不承认王莽是时代的牺牲者。在政治的舞台上，王莽毕竟失败了……失败的原因很多，现就其主要者讨论一下。

大凡一种政治改革，不是少数政治领袖包办得了的。改革是推倒旧的，建立新的。详言之，改革是不可避免的要引起旧势力的反对，想战胜旧势力，不可不求得新势力的拥护，在新旧两种势力争斗之下，才可决定改革的前途。就西汉末叶说：旧势力是地主与豪商，而与地主豪商对抗的是广大的农民，要想推倒前者，必须引导后者参加争斗。王莽没有做到这一点。他只打算凭“浩荡的皇恩”，解脱农民身上的锁链，正如沙发诺夫所说：“企图用封建机关的帮助来保险农民之免去封建的压迫，这是绝对的幻想。”其次，王莽没有明确的立场，没有始终一贯的精神去镇压地主与豪商的反抗，以前既向旧势力进攻，以后又向旧势力妥协，出尔反尔，即是改革的致命伤。史载“后三岁，莽知民怨(自然是豪民)，下诏诸食王田及私属皆得卖买”，这叫做自己打自己的嘴巴！结果，地主与豪商既看透他不是“好奴才”，农民也痛恨他是“卖假药”，这样游移不定的政治家，不得不为“众矢之的”了。所以到“渐台矢尽”的时候，校尉，商人，兵士，百姓……皆争食这位新皇帝之肉以为快。于是王莽就做了时代的牺牲者，可是他的牺牲给与后世的教训是很可宝贵的。

太学生与党禁

太学生“品核公卿，裁量执政”也为汉代破天荒之举。武帝置博士弟子员五十人即是兴太学的第一步，以后名额逐渐增加，到成帝之末已有三千人，大抵是公卿弟子。武帝于“投戈讲艺，息马论道”之余，在洛阳营起太学。明章两帝亦亲临太学以资提倡。到质帝时，令自大将军至六百石皆遣子受业，太学诸生人数增至三万以上。(《文献通考·学校门》)可谓极一时之盛了。这些太学生的出身，很清楚，或是公卿的儿子，或是大将军的儿子，起码资格也是六百石的儿子。总之：汉代太学是一座高级贵族学校，汉代太学生是一群贵族官僚子弟，也可说是一群候补的贵族官僚。他们生存的基础是谁也知道的。

汉末党禁，前后凡两次，都株连到太学生。据《后汉书·党锢传》与《灵帝纪》所载：太学诸生三万余人，郭林宗贾伟节为其冠，并与李膺陈蕃王畅更相褒重，危言深论，不隐豪强，自公卿以下，莫不畏其贬议，牢修（宦官走狗）上书诬告李膺等养太学游士，交结诸郡生徒，更相驱驰，共为部党，诽谤朝廷……于是逮捕党人，收执李膺等二百余人，明年，赦归田里，禁锢终身，而党人之名，犹书王府（这是第一次）。自是正直废放，邪枉炽结，海内希风之流，遂共相标榜，指天下名士为之称号。上曰三君（窦武刘淑陈蕃），次曰八俊，次曰八顾，次曰八及，次曰八厨，又张俭乡人朱并承侯览（宦官）意旨，上书告俭与同乡二十四人，别相署号，共为部党，而俭为之魁。曹节（宦官）因此讽有司奏捕前党李膺范滂……等百余人，皆死狱中。宦官又讽司隶校尉捕系太学诸生千余人。党人门生故吏父兄子弟在位者皆免官禁锢。至黄巾贼起，吕强（宦官）恐党人与张角合谋为变，乃奏请赦党人，诛徙之家始归故乡（这是第二次）。太学生受累总算不小。

太学生的政治意识

东汉末叶，外戚与宦官是冲突的，并进行“你死我活”的争斗，窦武即是代表外戚反对宦官之一人，这在前面第五节中已说到了。在外戚与宦官争斗的阵容中，官僚完全站在外戚方面，太傅陈蕃与窦武共同谋诛宦官，即其实例之一。此外，如刘淑上疏主罢宦官；李膺捕杀张让之弟，使黄门常侍鞠躬屏气；杜密对宦官子弟为令长有奸恶者辄捕案之；范滂奏劾权豪之党二十余人（《党锢传》）……都是铁证。太学生从贵族官僚家庭出身，其与陈蕃李膺之流结合，一致反对宦官，本是气味相投之事。所以外戚，官僚，太学生在反对宦官这一争斗上是结成联合战线的。范晔说：“桓灵之间，主荒政谬，国命委于阉寺，士子羞与为伍，故与匹夫抗愤，处士横议，遂乃彻扬名声，互相题拂。”（《党锢传》）这几句话揭破了事变核心。

如果有人问太学生干政（反对宦官）的动机是什

么？我可不客气的回答，大抵是关于本身的仕进问题吧！因为当时宦官的势力，不仅笼罩宫廷，而且布满州郡，无异太学生“仕进”前途的障碍物。因此，不能不铲除宦官的势力以谋自己的“官运亨通”。这种推论有下面史实可据：

（一）京师游士汝南范滂等非讦朝政，自公卿以下皆折节下之。太学生争慕其风，以为文学将兴，处士复用。（《申屠蟠传》）

（二）岑晊（太学生）以党事逃亡，亲友多匿焉。独彪闭门不纳，时人望之（怨望也），彪曰：……公孝（岑晊字）以要君致衅，自遗其咎。（《贾彪传》）所谓“以为……处士复用”，所谓“以要君致衅”，即是描写太学生的“热中”。

难道太学生反对宦官不是企图“以其所学易天下”吗？不是的！请以为太学生之冠的郭林宗（郭太）贾伟节（贾彪）为例来说明这一点。郭林宗是怎样的一个人呢？范滂说：“隐不违亲，贞不绝俗，天子不得臣，诸侯不得友，吾不知其他。”（《郭太传》）这是一个孤芳自赏的个人主义者。（史称林宗不为危言核论，故“宦官擅政而不能伤”，说他是个人主义者并不冤枉。）贾伟节呢？他做县长时，“小民贫困，多不养子，彪严为其制，与杀人同罪”（《贾彪传》）。他是这样的对付贫困的小民。两个领袖如此，其他的太学生可以想见了。

依照上述事实，可以下结论说：太学生干政的动机，大抵是希望“高升”，而不是关心“民瘼”。他们与外戚官僚结成联合战线反对宦官，并非企图在推倒宦官之后，运用上层的力量来解决当时万分紧张的社会矛盾，不过想夺取封建统治机关，大家朋分从农民身上剥削到手的利益而已。“你不好，打倒你，我来做！”，就是汉代太学生的政治意识。章太炎只说“党锢不尽端人”，似乎还失之笼统吧！

第七节　“赤眉”与“黄巾”

“赤眉”与“黄巾”是汉代社会矛盾炸裂的两个标志：前者推翻西汉的统治，后者推翻东汉的统治。泗水亭长利用农民暴动而成的帝业仍毁灭于农民暴动之中，历史上的悲喜剧是这样引人寻味的。

赤眉之乱

王莽既将新法的主要部分——土地国有——撤消，而伏首于地主与豪商之前，则旧势力重新活跃，疯狂似的向农民进攻，本是意想得到的事。何况匈奴入寇，边患加深，军旅之费，又须从事搜刮。内外夹击，把饥寒交迫的农民赶赴火坑。因此，“愁法禁烦苛，不得举手，力作所得，不足以给贡税；闭门自守，又坐邻伍铸钱挟铜。吏因以愁民，民穷悉起为盗贼”（《王莽传》），否则只有“人吃人”（如边缘大饥，人相食。关东人相食）。究竟人肉总不大合口味，于是做盗贼的便如毛而起了。史载（《资治通鉴》卷三十八）：

（一）五原代郡……起为盗贼，数千人为辈，转入旁郡。

（二）临淮瓜田仪依阻会稽长州。琅琊吕母聚党数千人，杀海曲宰，入海中为盗。其众浸多至万数。

（三）新市人王匡王凤为平理诤讼，遂推为渠帅，众数百人。于是诸亡命者南阳马武，颍川王常，成丹等皆往从之……藏于绿林山中。数月间，至七八千人。

（四）南郡张霸，江夏羊牧等，与王匡俱起众，皆万人。

（五）琅琊樊崇起兵于莒，众百余人，转入太山，群盗以崇勇猛皆附之。一岁间至万余人。崇同郡人逄安，东海人徐宣，谢禄，杨音各起兵，合数万人，复引从崇……转掠青徐间。

上列各股，以樊崇为最大。更加以铜马，大彤，高湖，重连，铁胫，大枪，尤来，上江，青犊，五校，五幡，五楼，富平，获索等（或以山川土地为名，或以军容强盛为号）各统部曲，众合数百万人。（同上卷三十九）暴风雨般的撼震全国了！从此主张分田与农民的王莽，到这时候公然变成屠杀农民的元凶，调遣太师王匡更始将军廉丹出兵讨“贼”。樊崇恐其众与兵乱，乃朱其眉以相识别，由此号称“赤眉”。

这些“盗贼”虽然是乌合之众，可是也有纪律，他们相与为约，杀人者死，伤人者偿创。甚至他们的纪律，比王莽的“官兵”还要严明。史称“匡丹合将锐士十余万人，所过放纵。东方为之语曰：‘宁逢赤眉，不逢太师，太师尚可，更始杀。’”（同上卷三十八）从这几句歌谣当中，看出老百姓厌恶官兵已到了无以复加的程度。

在这样天翻地覆的局面之下，王莽已手慌脚乱了，好像“死老虎”一样，只待“节解脔分”。当时许多野心家看到这种情形，都起来“逐鹿”，秦丰，田戎，公孙述，隗嚣……之流，趁机打劫，各据一方。尤以刘氏宗室为活跃，如刘玄（更始），刘演，刘秀（光武）兄弟，刘望……也都出头，把全国农民的愤怒集中到王莽身上，散布“新室当废刘氏当兴”的空气。所谓“豪民”也者自然是“思汉”的，在宗室号召之下，转辗传播，把农民的意识弄得模模糊糊。以致邯郸卜者王郎也不得不诈称刘子舆——成帝子——以为天子。可见刘氏宗室与豪民宣传力之大了。

“思汉”的空气既一天天浓厚，不免要使农民队伍的上层领袖动摇。当赤眉进至华阴之际，望弟阳说樊崇等曰：“今将军拥百万之众，西向帝城而无称号，名为群贼，不可以久。不如立宗室，挟义诛伐，以此号召，谁敢不从？”（同上卷四十）于是农民领袖樊崇等就向乳臭未干的刘盆子称臣下拜了。这一着，确是“集九州之铁铸成大错”。挂起刘氏宗室的招牌，当然不能发动广大的农民队伍，而且就招牌论，刘盆子更比不上“图谶”有名的刘秀，到后来赤眉尽管攻入了长安，尽管降服了更始（刘玄），在“粮食恐慌”的打击之下，终究团结不住那“疲敝愁泣，思欲东归”的农民。最后崤底战败，只得向光武乞降，结束了历史上悲壮的农民暴动之一幕。光武既夺取农民暴动的果实，就一跃而成汉室的新主人了。

黄巾之乱

“隆准日角”的光武虽然傲气凌人的坐在新金銮殿之上，可是丝毫没有变更旧社会的组织，过去的矛盾依然存在。不过在大破坏之后，“生民几亡，鬼神泯绝；壑无完柩，郛罔遗室，原野厌人之肉，川谷流人之血”（班固《两都赋》），使农民暴动前的矛盾暂时归于和缓罢了！

历史又开始在旧轨道上向前走。东汉统治的结果只是引起旧的社会矛盾在扩大范围上再生产起来。等到这些矛盾炸裂的时候，“黄巾”的叛旗便继“赤眉”之后而招展天空。

“黄巾”是什么呢？黄巾是暴动的农民所着的标志，

故时人谓之“黄巾贼”。巨鹿张角为这次暴动的鼓吹者，组织者，指导者。张角本是以符水治病的太平道人——这或者是他用以吸引农民的一种方式吧——有弟子周行四方，转相诳诱，十余年间，徒众数十万，自青徐幽冀荆扬兖豫八州之人，莫不毕应。可见他有计划，有魔力。倘使有人说黄巾之乱由他一手包办，甚至说他以“妖术惑众”，那就是唯心论者的见解。无论怎样高明的妖术，总不能诱惑丰衣足食的民众去造反。前面第五节里，不是引过张钧的话，指明“百姓之冤，无可告诉，故谋议不轨，聚为盗贼”吗？没有含冤的百姓，盗贼是不会起来的。不过张角确有他的长处。第一，懂得组织的重要。他“置三十六方，方犹将军也。大方万余人，小方六七千，各立渠帅”，具备秘密会党的雏形。第二，懂得宣传的作用。他“讹言苍天已死，黄天当立，岁在甲子，天下大吉。以白土书京城寺门及州郡官府，皆作甲子字”，仿佛像现代革命党的标语。第三，懂得以紧急的行动抵抗统治者的镇压。“原定计划，以中常侍封谞徐奉等为内应，约于三月五日内外俱起。嗣因弟子唐周告密，被杀千余人。他即晨夜驰敕诸方，一时俱起。”

这是他胜过以前各农民领袖的地方。暴动爆发后，张角自称天公将军，张宝称地公将军，张梁称人公将军。所在燔烧官府，劫掠聚邑，州郡失据，长吏逃亡。旬月之间，天下响应，京师震动。安平甘陵人各执其王以附和。南阳，汝南，广阳各黄巾有的把太守杀了，有的把太守赶了。这样一来，统治阶级就骇慌了。“大赦天下党人，唯张角不赦”，实行团结一切力量来镇压这些谋反叛逆的“暴徒”。果然，在统治阶级打击之下，又因张角病死，不到一年，便把张梁，张宝捕杀了。史册上大书特书“获首三万级”，“斩获十余万人”，以志封建统治胜利。余党赵弘，韩忠，孙夏复被先后击破，斩首万余级。其余州郡所诛，一郡数千人。赤血已将神州染遍了。（参考《资治通鉴》卷五十八）

黄巾起后，巴郡张修（号五斗米师）亦反，时人谓之米贼。其余如博陵张牛角，常山褚飞燕，及黄龙左校，于氐根，张白旗，刘石，左髭文八，平汉大计司隶缘城，雷公，浮云，白雀，杨凤，于毒，五鹿，李大目，白绕，眭固，苦蝤之徒，不可胜数。大者二三万人，小者六七千人。以飞燕一股为最大，山谷寇贼多赴之，部众寖广，殆至百万，号黑山贼。不料飞燕出卖群众，遣使赴京乞降，换得自己的高官厚禄。以后仍有接踵而起者，在统治阶级铁蹄之下终归破灭。（同上卷五十八至六十）农民暴动固然暂时镇压下去，但汉时统治却因此动摇。自九卿出任州牧以后，造成群雄割据之局。许多“小皇帝”犹利用农民暴动，把刘氏的世业瓜分去了。

第八节　两汉的意识形态

黄老与儒术

首先要说的是黄老之学。黄老盛于文景时代，信其说者恍惚像儒家之“言必称尧舜”一样，也抬出一个远古的黄帝来与老子配合，所以叫做黄老。据《史记·乐毅传》载有：“乐臣公学黄帝老子，其本师号曰河上丈人，不知所自出。河上丈人教安期生，安期生教毛翕公，毛翕公教乐瑕公，乐瑕公教乐臣公，乐臣公教盖公，盖公教于齐高密胶西，为曹相国师。”曹参在高祖时为齐相汉相，大悉其师盖公“贵清静而民自定”之说，实行无为的政治。文景时代的“休养生息”，即是应用黄老之学的证明。这是有原因的，处在“大饥馑……死者过半……民亡盖臧”（见本章第一节）之日，除掉“休养生息”以外，还能做什么呢？当时主张“君道者非所以为也，所以无为也”（《诠言训》）的淮南子，即是这种意识形态的代表。

到武帝时，尚儒术，招贤良，而情形一变，在“治黄老言不好儒术”的窦太后死后，“田蚡为丞相，绌黄老刑名百家之言，延文学儒者数百人，而公孙弘以春秋，白衣为天子三公……天下之学士靡然乡风矣”（《史记·儒林列传》）。又从董仲舒的《对策》，正式把儒家定为一尊。于是拥护封建制度的孔子，在我国学术界内坐了第一把交椅。这件事，不待言，自然是当时“政治统一”的产物。

也许有人这样问：秦汉时代的经济基础本无大差异，而政权的性质又复相同。何以一则焚书坑儒，一则表章六经尊重儒生呢？这本是历史上一个饶有兴趣的问题。要知道秦始皇焚书坑儒固有这回事，但不可夸张太过。夏曾佑说：“秦令指明‘非博士官所职，天下敢有藏诗书百家语者，悉诣守尉杂烧之’，此即博士之书不烧之证。”章太炎也说：“所坑之儒，不过方士之类。”这种解释是不错的。再看事实吧！李斯是秦代当权的人，《史记》称他从荀卿学帝王之术，知六艺之归，可见以李斯这样杰出的儒生，始皇尚任他为丞相，即是尊重儒生之实例。至于秦用博士更不必说了。我们能怀疑秦汉政策根本不同么？

儒术的变质与今古文家的争斗

在这里要特别指出的，汉代定为一尊的儒家，已非昔日之旧，其质早经改变。梁启超在《中国古代思潮》上说：

> 孟子既没，公孙丑万章之流，不克负荷。荀子身虽不见用，而其弟子韩非李斯等，大显于秦；秦人之政，一宗非斯。汉世六经家法，强半为荀子所传（见汪容甫《述学》）；而传经诸老师，又多故秦博士。故自汉以后，名虽为昌明孔学，实则所传者仅荀学一支派而已。此真孔学之大不幸也。（汉代学术在荀派以外

者唯《春秋》与《公羊》耳。）

这一段话不独说明孔学已变了质，且说明秦汉两代的孔学，其质大抵相同。我们应该从经济的与政治的条件上去寻求解释。

何况汉代的孔学不只是荀学一支派而已。儒家既成为王者御用的工具，就不得不听从主人翁的指挥。武帝好儒术而又好方士，更使儒家方士化。“儒者尊君，君者，王者之所喜也。方士长生，生者，亦王者之所喜也。二者既同为王者之所喜，则其势必相妒，于是各盗敌之长技，以谋独擅，而二家之糅合成焉。”（夏曾佑《中国历史教科书》第二编第一章六十节）董仲舒的《春秋繁露》，杂以阴阳五行之说，即是最显著的例子。(《后汉书·方术传》多半是这班宝贝。）哀平之际，谶纬盛行。谶者验也，即是立言于前有征于后的预言（如亡秦者胡也之类）。纬者对经而立也，“经阐其理，纬释其象，经陈其常，纬究其变”：儒家又与谶纬混而为一。“王莽借之以移汉祚。己既为之，则必防人之效己，此人之常情也，故有‘宜绝其原’之命。然此时符命之大原，则实由于六艺。六艺为汉人之国教，无禁绝之理；则其为计，惟有入他说以乱之耳。刘歆为莽腹心，亲典中书，必预闻莽谋，且助成莽事。故为莽杂糅古书，以作诸古文经。其中至要之义，即‘六经皆史’一语；盖经既为史，则不过记以往之事，不能为西汉之演图比谶，预解无穷矣。而其结果，即以孔子之宗教，改为周公之政法，一以便篡窃之渐，一以塞符命之原，计无便于此者。然以当时六艺甚备，师法甚明，必不能容不根之说，忽然入乎其间；于是不能不倡六经经秦火，已脱坏，河间献王鲁恭王等，得山严屋壁之庄，献之王朝，藏之秘府，外人不见，至此始见之云云。”（同上六十二节）今文家与古文家的纠葛，就闹得头脑发昏。东汉光武，亦托图谶以成事，自然废古文而用今文。但到东汉之末，服虔马融郑玄之流又提倡古文，古文家之势力复振（其实郑玄是兼用今文的，不过以古文为主）。所以今古文家的争斗，富有浓厚的社会意义。

唯物论者的王充

在阴阳五行符命谶纬所笼罩的儒术当中，却有一个哲学界的怪杰——王充，他的“俗传既过，俗书又伪……浮妄虚伪，没夺正是，心溃涌，笔手扰”（《对作篇》），著《论衡》八十五篇，揭破俗儒的假面目。他是唯物论者，相信精神是与物质分不开的。他说：

人之精神，藏于形体之内，犹粟米在囊橐之中也。死而形体朽，精气散，犹囊橐穿败，粟米弃出也。（《论死篇》）

他又是无神论者，否认鬼的存在，否认上帝造世界的怪诞。他说：

凡天地之间有鬼，非人死精神为之也，皆人思念存想之所致也。致之何由，由于疾病，人病则忧惧，忧惧见鬼出。（《订鬼篇》）

含血之类，知饥知寒。见五谷可食，取而食之；见丝麻可衣，取而衣之。或说以为天生五谷以食人，生丝麻以衣人，此所谓天为人作农夫桑女之徒也，不合自然。……春观万物之

生，秋观其成，天地为之乎？物自然也。如谓天地为之，为之宜用乎，天地安得万万千千乎，并为万万千千物乎？（《自然篇》）

他又懂得社会矛盾的真正源泉，懂得人类道德的物质基础。他说：

夫世之所以乱者，不以盗贼众多，兵革并起，民弃礼义，负畔其上乎？若此者，由谷食乏绝，不能忍饥寒。夫饥寒并至而能为非者寡，然则温饱并至而不为善者希。……故饥岁之春不食亲戚；穰岁之秋召及四邻；不食亲戚，恶行也；召及四邻，善行也；为善恶之行，不在人质性，在于岁之饥穰。由此言之，礼义之行，在谷足也。（《治期篇》）

像这样十分明显的唯物观，在《论衡》中随在可以看到。有了王充可以使我国乌烟瘴气的思想界，透露出一线光明。然而王充的哲学还是时代的产物，他虽然暴露了社会的矛盾，毕竟未完全跳出“宿命论”的圈套，正如希腊唯物论者赫拉颉利图（Heraclitus）不能跳出循环论的圈套一样。可是，这一点仍不能减弱其哲学的进步性。他与阴阳五行符命谶纬之儒比较起来，总算是“万绿丛中一点红”吧！

第六章　封建政治制度时期（三）

第一节　六朝隋唐的社会经济

是否有循环式的历史

两汉以后，我国历史似乎走上“循环式”的轨道，兜了几个圈子。政治上的风暴虽是周期的爆发，却未曾破坏社会经济原素的结构。

或许有人要这样怀疑，以为当朝代更替之秋，好像天翻地覆，例如“晋末天下大乱，生民道尽，或死于干戈，或毙于饥馑，其幸而自存者盖十五焉”（《魏书·食货志》）。遇到这样灾难的时候，难道社会经济原素的结构未受破坏吗？不知灾难虽大，也不见得富人与穷人一样遭殃。这一点，王充是看透了的，他说：

> 使今之民也，遭大旱之灾，贫羸无蓄积，扣心思雨，若其富人，谷食饶足者，廪囷不空，口腹不饥，何愁之有？天之旱也，山林之间不枯，犹地之水，邱陵之上不湛也。山林之间，富贵之人必有遗脱者矣。(《论衡·艺增篇》)

照这样解释，可以断定其幸而自存者十分之五，便是那遗脱的富贵之人。他们是握住社会经济命脉的，既未被淘汰于灾难的洪流之中，即为社会经济原素的结构未受破坏之证。所以大乱既平，新统治者跳上政治舞台演了几幕“粉饰太平”的苦剧以后，旧的社会矛盾便又紧张起来，酿成所谓“一治一乱”之局。两汉的经济结构与社会矛盾或许是两汉以后几个朝代的模型吧！

然而依样葫芦的“循环式”是没有的。这就是说，在“循环式”的过程中，能够窥见一些前进的“轨迹”。两汉以后几个朝代，固然未改变两汉的模型，但在原模型之上，却已点缀了一些新花样。百川赴海本是蜿蜒曲折的，但在蜿蜒曲折之中，还是不断的前进。历史上的轨道正是如此。兹以六朝隋唐的社会经济为例，作一个简括的说明。

土地问题

我在前章里曾指出地主与商人是两汉经济结构中两个主要的杠杆。地主的土地集中与商人的市场扩大，是历史运动的铁则。六朝隋唐的具体事实，是否把这个铁则打破了呢？先从土地问题说起。

“汉自董卓之乱，百姓流离，谷石至五十余万，人多相食。”在这种情形之下，土地仍是集中的。如魏武（曹操）“募百姓屯田许下，得谷百万斛”；徐邈在凉州“广开水田，募贫民佃之”；孙权从陆逊之请，“令诸将各广其田”（均见《晋书 · 食货志》）；即就淡泊明志的诸葛亮说，在成都也有“薄田十五顷”（《三国志 · 诸葛亮传》），其他可知。晋初，“官品第一至于第九，各以贵贱占田。品第一者占田五十顷，第二品四十五顷，第三品四十顷……第九品十顷。……而又得荫人以为衣食客及佃客。品第六以上得衣食客三人……其应有佃客者，官品第一第二佃客无过五十户，第三品十户……第九品一户”（《晋书 · 食货志》）。“晋自中原丧乱，元帝寓居江左，百姓之自拔南奔者，并谓之‘侨人’，……都下人多为诸王公贵人左右佃客，典计，衣食客之类，皆无课役。官品第一第二佃客无过四十户……第九品五户。其佃谷皆与大家量分。”（《隋书·食货志》）这简直是一种封建的农奴制度。虽说晋武帝时曾颁布过什么“占田法”；如男子一人占田七十亩，女子三十亩，其外，丁男课田五十亩，丁女二十亩，次丁男半之，女则不课。（《晋书·食货志》）但这只是乱后招集流亡以裕租税（丁男之户岁输绢三匹，绵三斤，女及次丁男为户者半输）的政策。其对官吏的占田加以限制，也不过是防止无税土地的增加而已。老实讲，占田法在晋代并未怎样实行。在晋以后，南北对峙。南朝在宋孝武帝时，有“山阴豪族富室，倾亩不少”之事实（《文献通考·田赋门》）。北朝固然是“游牧民族的铁蹄踏碎了中原的文化”，但并不如王礼锡所说：“历史为之倒退了几百年”（《新中华》第一卷第五期《中国社会形态史上两个反复现象》），其土地集中的趋势，也与南朝不相上下。李安世在奏疏中不是说过“强宗豪族肆其侵陵”吗？魏文帝听从李安世的意见，便下诏均给天下民田，规定“诸男夫十五以上，授露田四十亩，妇人二十亩，奴婢依良丁，牛一头授田三十亩，限四牛。所授之田率倍之，三易之田再倍之，以供耕休及还受之盈缩。诸民年及课则受田，老免及身殁则还田，奴婢牛随有无以还受。诸桑田不在还受之限……诸初受田者，男夫一人给田二十亩……皆为世业，身终不还……盈者得卖其盈，不足者得买所不足，不得卖其分，亦不得卖过所足。诸麻布之土，男夫及课，别给麻田十亩，妇人五亩，奴婢依良，皆从还受之法。……进丁受田者，恒从所近，若同时俱受，先贫后富……诸远流配谪，无子孙及户绝者，墟宅桑榆尽为公田，以供授受……”（《魏书·食货志》）这种均田法确是我国历史上值得大书特书的事。然而这也不是什么“奇迹”，据夹漈郑氏说：“观其立法，所受者露田，诸桑田不在还受之限，意桑田必是人户世业，是以栽植桑榆其上，而露田不栽树，则似所种者皆荒闲无主之田。必诸远流配谪，无子孙及户绝者，墟宅桑榆尽为公田，以供授受，则固非尽夺富者之田以予贫人也。”（《文献通考·田赋门》）可见北魏均田法并非与豪强为敌，不过分配荒闲无主之田以便于征取租税。到北齐文宣帝时，宋世良曾请以“富家牛地先给贫民”，其时朝列称其合理。杜氏《通典》也说：“其时强弱相凌，富者连畛亘陌，贫者无立锥之地。”（《食货二田制下》）又可见北魏均田法已废弛。隋文帝列自诸王以下至于都督皆给永业田，多者至百顷。京官与外官各给职分田，多者五顷（《隋书·食货志》），已明白宣布大地主制。隋末农民蜂起，自然还是土地问题作祟。唐初“授田之制，丁男十八以上者人一顷，其八十亩为口分，二十亩为永业……田多可以足其人者为宽乡，少者为狭乡，狭乡授田减宽乡之半……徙乡及贫无以葬者得卖其世业田，自狭乡而徙宽乡者得并卖口分田，已卖者不复授……”（《新唐书·食货志》），这叫做班田法。而另立租庸调制（租是赋税，受田的人每年输粟二石，谓之租；庸是丁税，即每年力役二十日，遇闰加二日，不役的每日折输绢三尺，谓之庸；调是户税，因地方出产，或输绢，绫，缯各二丈，绵三两，或输布二丈四尺，麻三斤，谓之调）以征取租税。田既可以卖买，就必不可免的要集中到大地主之手。所以“开元天宝以来，法令弛坏，并兼之弊，有逾汉成哀之间”（《文献通考·田赋门》）。这就是说：唐代的土地集中直超过汉代水平线以上。另一方面：“……所谓租庸调者，皆此受田一顷之人所出也……田亩之在人者不能禁其卖易……则向之所谓输庸调者多无田之人矣……不授人以田而轻其户赋者两汉也，因授田之名而重其户赋；田之授否不常，而赋之重者已不可复轻，遂至重为民病；则自魏至唐之中叶也。”（同上）这就是说：六朝隋唐采用计丁授田，计丁征赋的办法，反使地无立锥的农民，替田连阡陌的地主向国家完纳租税，土地问题就愈趋严重了。

市场问题

其次，关于市场问题，在六朝隋唐之际，也是向前发展的。当鼎足三分的魏蜀吴时代，魏在黄巾乱后，商业停滞，本是事实。但蜀吴则成为西部与南部的大市场，从左太冲《蜀都赋》《吴都赋》中，可以得到充分的认识。如《蜀都赋》说：“市廛所会，万商之源。列隧百重，罗肆巨千。贿货山积，纤丽星繁。……异物崛诡，奇于八方；布有橦华，面有桄榔，邛杖传节于大夏之邑，蒟酱流味于番禺之乡。……”如《吴都赋》说：“水浮陆行，方舟结驷，唱棹转毂，昧旦永日。开市朝而普纳，横阛阓而流溢。混品物而同廛，并都鄙而为一……富者之畦，货殖之选，乘时射利，财丰巨万。竞其区宇，则兼疆兼巷；矜其宴居，则珠服玉馔。”(《昭明文选》) 可以想见当时商业之发达了。晋继魏而起，海内为一。“纳百万而罄三吴之资，接千年而总西蜀之用。韬干戈于府库，破舟船于江壑。河滨海岸，三邱八薮，耒耨之所不至者人皆受焉。……世无升平，物流仓府。宫闱增饰，服玩相辉。于是王君夫武子石崇等更相夸尚，与服鼎俎之盛，连衡帝室；布金埒之泉，粉珊瑚之树……永宁（惠帝年号）之初，洛中尚有锦帛四百万，珠宝金银百余斛。”(《晋书·食货志》) 像这样的侈靡生活，不待言，实高度的商品经济之产物。“晋自过江，凡货卖奴婢马牛田宅，有文卷率钱一万输估四百入官，卖者三百，买者一百。无文卷者随物所堪，亦百分收四，名为散估。历宋陈梁齐如此以为常。以此人竞商贩，不为田业。”(《隋书·食货志》) 商品经济的吸引力，总算很大了。而且商品经济运动的范围，扩张到国外。“梁初……交广之域全以金银为货。”“后周……河西诸郡或用西域金银之货而官不禁。”（同上）这或者就是“六朝金粉”的物质基础吧！

北朝在游牧民族活跃之下，似乎在某一时期已回复到自然经济。例如“魏初至于太和（文帝年号）钱货无所周流。高祖（文帝）始诏天下用钱”（《魏书·食货志》）。但不能执此一端以为南北朝是两个社会体制。北朝固有“钱货无所周流”的现象，南朝亦有与此相类的情形，史载“梁初唯京师及三吴荆郢江湘梁益用钱，其余州郡则杂以布帛交易”；“陈初……兼以粟帛为货……其岭南诸州多以盐米布交易，俱不用钱”。（均见《隋书·食货志》）岂止梁陈如此。远在三国时代，“黄初二年，魏文帝罢五铢钱，使百姓以谷帛为市。至明帝世钱废，谷用既久，人间巧伪渐多，竞湿谷以为利，作薄绢以为市”（《晋书·食货志》）。假使根据这点史料便说三国的魏与南朝是两个社会体制那就有意向历史开玩笑了！

降及隋唐，不独国内市场比前扩大，即就国际市场说，亦开历史上的创局。炀帝开运河本是大众皆知的事。又“以西域多诸宝物，令裴矩往张掖监诸商胡互市，啖之以利，劝令入朝，自是西域诸番往来相继，所经州郡疲于送迎，糜费以万万计”(《隋书·食货志》)。唐代国际贸易更打破历史的纪录，当时广州，交州（安南境），泉州，扬州，都成了世界商港（参见薛农山《中国农民战争之史的研究》一一二——一一六页）。并在陆路设立互市监以管西域诸国的贸易，在海路设立市舶司以管南洋诸国的贸易。可见六朝隋唐的市场在两汉以后，有进一步的发展。从这里就知道压在商业资本下痛苦呻吟的农民愈不易翻身了。

重工业与新发明

六朝隋唐的社会经济，除土地与市场外，还有初萌芽的重工业，且留下简单的数字可供参考，这件事使我们感受浓厚的兴趣。据新书《食货志》所载：“凡银铁锡之冶一百六十八……天下岁率银一万五千两，铜六十五万五千斤，铅十一万四千斤，锡万七千斤，铁五十三万二千斤。”唐德宗采择户部侍郎韩洄的建议，说什么“山泽之利宜归王者”，于是把这些重工业划归盐铁使主管。如果把当时官僚中饱之数目加进去，恐怕统计要增大许多吧！有了重工业不仅社会生产上添了新的部门，并且社会结构上添了新的原素，其意是非常重大的。假使这些重工业无阻碍的向前发展，或许中国历史，甚至亚洲历史要别开生面也未可知。可惜这些重工业终究只在故纸中留下一点墨痕，使人追忆！而将工业文明的开路先锋让给高鼻碧眼儿去担任了。

与重工业一样值得赞叹的，还有机器上的新发明。诸葛亮的连弩与木牛流马是五尺之童皆津津乐道的。南齐温冲之“以诸葛有木牛流马，乃造一器，不因风雨，旋自运，不劳人力。又造千里船于新亭江，试之日行百余里”（柳翼谋《中国文化史》），可说是历史上值得记载的东西。到了唐代李皋更有战舰的创制，此事载于新旧唐书，如“常运心巧思，为战舰，挟二轮蹈之，翔风鼓浪，疾若挂帆席”（《旧唐书·李皋传》）。又“教为战舰，挟二轮蹈之，鼓水疾进，驶于阵马”（《新唐书·李皋传》）。大发明家李皋简直是东方的瓦特（Watt）了！他是公历八世纪的人（732—792年），比瓦特发明蒸汽机要早一千年左右。我们当然知道这种新发明不是李皋个人天才的产物，而是社会生产力发展到一定阶段的成果，并且这种战舰又是当时国际市场发展过程中所要求的。不过这种创制未推进当日的航路，使东方的瓦特做了一个无益于时无闻于后的人，总是令人短气的事！

历史的不幸，硬把唐代跃跃欲试的社会机轮，拉向汉代走过的旧轨道上去！于是东方古国仍僵卧于半睡眠状态的亚洲之上。

第二节　三国与两晋

前面第一节已把六朝隋唐的社会经济扼要的叙述了。我把这一部分风暴最多的中古史划成一个段落，是有理由的。一方面，就社会经济说，固然有共同的基点；另一方面，就政治形态说，亦有与其他各朝代迥异的特征。特征是什么？一言以蔽之：就是军阀更迭主政。所以，在相对意义上，也可说六朝隋唐是我国政治史上军阀活跃时代。现从军阀活跃的第一幕——三国讲起。

鼎足三分的魏蜀吴

"黄巾贼"扰乱后，汉室为收拾残局起见，派九卿出任州牧，这样一来，就播下军阀的种子。首先发难者是“凉州军阀”——董卓，他利用机会，劫持汉室的皇帝（献帝），于是诸州郡借“讨卓”之名，各据一方，如袁绍，袁术，刘表，刘焉，马腾，韩遂……之流都做了“小皇帝”。互相吞并的结果，剩了魏蜀吴，形成鼎足三分之局。

要知道魏蜀吴代表什么，只要看他们起家的历史就够了。据陈寿《三国志》所载，曹氏刘氏孙氏都是讨黄巾有功之人（参考《武帝纪》，《先主传》，《孙坚传》），即是说，他们是吃农民暴动的果实长大的。一到“黄巾贼”完全失败与“小皇帝”大半塌台以后，这三个巨头之间的矛盾——尽管其阶级基础相同——就必然紧张起来而互相争夺了。可是他们的前途是客观条件决定的。诸葛先生第一次见刘先主时，即说：

> ……今操已拥百万之众，挟天子以令诸侯，此诚不可与争锋。孙权据有江东已历三世，国险而民附，贤能为之用，此可与为援而不可图也。荆州北据汉沔，利尽南海，东连吴会，西通巴蜀，此用武之国……益州险塞，沃野

千里，天府之土……若跨有荆益，保其险阻，西和诸戎，南抚夷越，外结孙权，内修政理，天下有变，则命一上将将荆州之军以向宛洛，将军身率之众以出秦川……则霸业可成，汉室可兴矣。（《诸葛亮传》）

这一段话里，没有“神机妙算”，只是诸葛先生实际观察所得的结论而已。当时局势明白得很，西部与南部已形成两个繁盛的市场（见第一节），北方虽是残破之余，但在“强兵足食”的政策之下，除募百姓屯田许下外，郡国列置田官，数年之中所在积粟，仓廪皆满。从前百姓流入荆州者十余万家，皆相率返里。（《晋书·食货志》）所以曹氏不仅挟天子以令诸侯在政治上占优势；即在经济上，亦与西南相颉颃；其“借战胜之威，率百万之师，浮邓塞之舟，下汉阴之众……喟然有吞江浒之志，一天下之气”（陆机《辨亡论》），本是当然的。不料赤壁一战，曹氏为刘孙联合之师所败，以后便不敢“图南”。刘氏大做其“兴汉梦”时，又把荆州失了，此后更不易进取。孙氏呢？西进既势不可能，北伐则力有不逮，不得不偏安江左。大家碰壁，只好适可而止，各守封疆。此三分天下之所由来也。

然而均势之局，亦不是长久的。诸葛伐魏既屡次失利，曹氏就渐渐强大起来。后来曹氏兵权，落到司马氏军阀之手，采用邓艾积军粮通运漕的政策，“穿渠二百余里，溉田二万顷”（《晋书 · 食货志》），有了丰富的粮食，一切就占了上风，于是司马氏就灭蜀，纂魏，平吴，国号晋。鼎足三分的政局，又变为一姓独霸的天下了。

西晋八王之乱

晋既承曹氏遗产，又“纳百万而罄三吴之资，接千年而总西蜀之用”，踌躇满志，自不待言。可是封建制度内在的矛盾，终究无法克服。司马炎由军阀升为天子，惩魏氏孤立之弊，大封宗室，子弟为王者二十余人，令诸侯皆得“选吏”“置军”，“或出拥旄节，莅岳牧之荣；入践台阶，居端揆之重”（《晋书》卷廿九）。这样一来，又蹈汉初的覆辙了。司马炎一死，便引起八王之乱，所谓八王即汝南王亮，楚王玮，赵王伦，齐王冏，河间王容，成都王颖，长沙王乂，东海王越。祸变之惨，情节之奇，揭穿了军阀政治最黑暗之一幕。兹摘述其大要如下：

> 武帝（司马炎）临崩，欲以汝南王亮与皇后父杨骏同辅政。骏匿其诏，矫令亮出镇许昌。惠帝既立，贾后擅权，杀杨骏，废杨太后，征亮入，与卫瓘同辅政。亮与楚王玮不协，玮谄于贾后，诬亮瓘有废立之谋，后乃使帝诏玮杀亮瓘；又坐玮以矫杀亮瓘之罪，即日杀玮。后益肆淫恣，废太子遹，弑杨太后。时赵王伦在京师素谄贾后，其嬖人孙秀，说以太子之废，人言公实与谋，宜废后以雪其声，伦从之。秀又恐太子聪明，终有疑于伦，不如待后杀太子，而废后为太子报仇，可以立功。乃使后党讽后，后果杀太子。伦遂矫诏与齐王冏率兵入宫，废后……寻害之。孙秀等恃势肆横，冏内怀不平。秀觉之，出冏镇许昌，伦潜位，以惠帝为太上皇……于是冏及河间王容，成都王颖，共起兵讨伦，伦兵败，其将王舆废伦斩秀，迎惠帝

复位，伦寻伏诛。颖遂还邺，冏入京……大权在握，沉湎酒色不入朝……有校尉李含奔于长安，诈称有诏，使河间王容讨冏，容遂上表，请废冏以成都王颖辅政，并檄长沙王乂为内主。冏遣兵袭乂，乂径入宫，奉帝讨斩冏。容本以乂弱冏强，冀乂为冏所杀，而以杀乂之罪讨之，因废帝立颖，已为宰相，可以专政。及乂先杀冏，其计不遂；颖亦以乂在内，已不得遥执朝权。于是容遣将张方率兵，与颖同向京师。帝又诏乂为大都督，拒方等。连战，先胜后败……又为张方所杀。颖入京，寻还于邺，容表颖为皇太弟……朝政悉颖主之。左卫将军陈畛不平，奉帝讨颖。颖遣将石超败帝于荡荫，超遂以帝入于邺。平北将军王凌起兵讨颖，颖战败，仍拥帝还洛阳。时容遣张方救颖，方遂挟帝及颖归于长安。容废颖，立豫章王炽（怀帝）为皇太弟。东海王越自徐州起兵……容又命颖统兵拒之，河桥战败，越兵入关，奉惠帝还洛阳。颖窜于武关新野间，有诏捕之，为

> 刘舆所害。容亦单骑逃太白山，其故将迎入长安，有诏征容为司徒。容入京，途次为南洋王模所杀。惠帝崩，怀帝即位，超出讨石勒而卒。此八王始末也。（赵翼《廿二史劄记》）

诡谲，变诈，阴险，毒辣，比吴楚七国之乱要超过万倍。为什么如此？因为“自魏氏以来，迄于太康（晋武帝年号）之际，公卿世族，豪侈相尚”（《晋书·王导传》）。要享受高度的物质生活，只有垄断朝政，才有办法，于是骨肉之亲便敌不住权位之欲了。这就是八王之乱的经济背景。

五胡十六国

八王之乱是西晋内部矛盾达到异常尖锐的标志。但祸变之来每每不是简单的，“封建制度内部矛盾的尖锐，势必引起外患的加深”，我在本书第四章第三节里，即已说到。同时，并引过沙发诺夫的话——“游牧人的干与，总常常发生在中国封建制度自身不能立脚的时候”——以资印证。西晋五胡乱华的史实，更把这一点具体的说明了。

五胡即是匈奴，羯，鲜卑，氐，羌五个异族。匈奴自呼韩邪降汉以后，即在朔方，五原，云中等郡与汉人杂居，日渐繁盛。魏武分其众为五部，每部设立部帅，散居晋阳汾涧之滨。羯是匈奴的别种，居于上党郡武乡县。鲜卑即东胡之后，秦汉时为匈奴所败，分保鲜卑山，因以为号。后乘匈奴之敝，占领广大疆域，东边从辽东起，西边到并凉塞外止，都有他们的血胤，所以有辽东鲜卑，辽西鲜卑，代郡鲜卑……的名称。氐本散处巴中，以后迁入汉中。魏武克汉中，把他们迁到扶风始平京兆诸郡。羌人在后汉时常为西北边患，虽然被汉将杀得不少，可是繁殖力颇大，侵入内地，散居冯翊，北地，新平，安定诸郡。像这样多的异族，布满北方一带，自然是严重而又严重的问题。“以贪悍之性，挟愤怒之情，候隙乘便，辄为横逆。而居封疆之内，无阻塞之隔，掩不备之人，收散野之积，故能为祸滋蔓，暴害不测”，此江统所以高唱“徙戎论”也。(《晋书·江统传》）八王扰乱以后，五胡便高举反叛之旗，与日耳曼人侵略罗马无异。于是两京陷没，二帝（怀愍）成擒，划长淮以北，大抵弃之胡人……“或篡通都之乡，或拥数州之地，雄图内卷，师旅外并，穷兵凶于胜负，尽人命于锋镝，其为战国者一百三十六载”（《晋书·载记序》）。这是由军阀造成内乱，由内乱引起外患的一出悲剧。兹列五胡十六国（五凉，四燕，三秦，二赵，夏，蜀）表于下：

五胡十六国表

国名	种族	始祖	国都	兴亡年代
汉前赵	匈奴	刘渊	平阳	三〇四——三二九
北凉	匈奴	沮渠蒙逊	张掖	四〇二——四三九
夏	匈奴	赫连勃勃	统万	四〇七——四三一
后赵	羯	石勒	襄国	三一八——三五一
前燕	鲜卑	慕容皝	苏后郉	三三七——三七〇
后燕	鲜卑	慕容垂	中山	三八三——四〇八
西秦	鲜卑	乞伏乾归	苑川	三八五——四三一
南燕	鲜卑	慕容德	广固	三九八——四一〇
南凉	鲜卑	秀发乌孤	西平	三九七——四一四
前秦	氐	符坚	长安	三五一——三九四
后凉	氐	吕光	姑臧	三八六——四〇三
后秦	羌	姚苌	长安	三八四——四一七
前凉	汉人	张轨	姑臧	三〇二——三七六
西凉	汉人	李暠	敦煌	四〇〇——四二一
北燕	汉人	冯跋	积龙	四〇九——四三五
蜀	巴蛮	李雄	成都	三〇四——三四七

江左偏安的东晋

晋自中原丧乱，元帝寓居江左，“吴人不附，居月余，士庶莫有至者”，赖王导联络江南之望如启荣贺循等（大抵是豪族之流）以结人心，才渐渐建立皇室的威信。（《王导传》）当时王敦（王导从兄）是一个“威风已振”的军阀，亦与王导同心翼戴，所以有“王与马共天下”之谣（《王敦传》）。从这里可以窥见东晋政治的本质。本来，在中原沦陷的“国难”期中，“去兵”是不可以的。不过就当时的江左论，“荆扬晏安，户口殷实”（《王导传》），已形成经济的中心。同时，为抵御五胡南下起见，又不得不在江陵与京口两个要害分置大军，交荆扬二州刺史分领。因此，这两州就成了东晋时代两大军阀的根据地。这两系势力（荆州略占优势）是不断冲突的，如王敦之举兵犯阙，桓温之包藏祸心，就是明显的例子。在长期内讧中，简直把“收复失地”的问题，置之脑后了。（桓温虽然灭蜀败秦，但他不过是扩大自己的地盘而已。）

北方在四分五裂的混战之后，有一个异军突起的符坚（前秦），得了汉奸王猛之助，统一北方，就“饮马长江”，想一口气把东晋吞下去。所幸淝水之役，谢玄率领“北府兵”（京口兵）把符坚打得落花流水。符坚败后，北方四分五裂了，一直到拓跋氏（北魏）出头才实行统一。江左自战胜符坚后，大可图谋恢复中原，惟以荆扬两系军阀继续冲突，将主要力量耗于内战之中。等到桓玄（荆州系）失败，北府兵力压倒一切的时候，江南半壁又掉了新主人，司马氏的帝位已为新兴军阀刘裕（宋武帝）所纂了。这是军阀不能抵抗外患而只延长内乱的又一出悲剧。兹列两晋与十六国分合表于下：

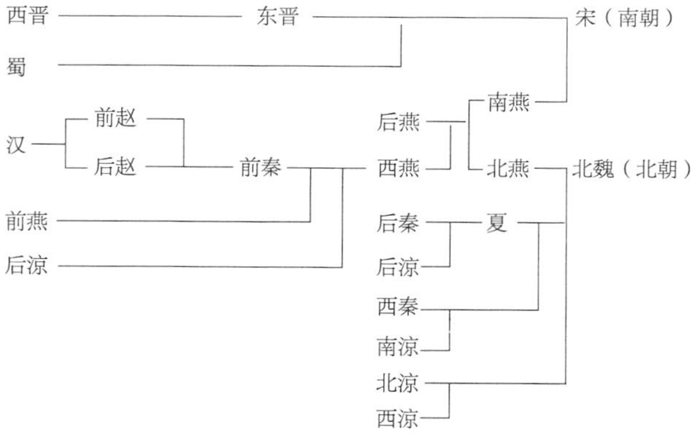

第三节　南北朝与隋

南北朝的内讧

南朝是东晋的继承者，刘裕纂晋，建国号为宋，不到六十年，被萧道成夺去，改国号为齐。齐统治不过二十三年，又被萧衍夺去，改国号为梁。梁统治五十五年，又被陈霸先夺去，改国号为陈。宋齐梁陈的更替，都是从一个军阀过渡到另一个军阀。世家大族（大地主）是这些军阀的支柱，所以，虽朝市革易而门第如故，甚至如王宏，王昙首，褚渊，王俭之流，与时推迁，为兴朝佐命借以保其尊贵。当时的农民则在军阀的铁蹄下过被榨取的生活，元嘉（宋文帝年号）之政，说起来还算较好的，然也“邑里萧条”。到齐梁时又加遣台使分催田赋租丁赋，征索及于豚蒜鹅栗（详见赵翼《廿二史劄记》）。以至农民受逼，无路可走，宁愿抛弃自由民的资格，“多依人士为附隶，谓之属名”。（《南史》卷五——属名略与晋初“佃客”“衣食客”相似，译成现代语，即“卖力投靠”。）

北朝自魏统一后，不到百年，军政大权也先后落于尔朱荣，高欢，贺拔岳，宇文泰之手，他们都是军阀。以军阀利害冲突，魏又分裂而为东西，不久，高氏篡东魏，国号齐；宇文氏篡西魏，国号周；齐灭于周，而周又为杨坚（隋文帝）所代，全是军阀递嬗之局。他们榨取的对象大抵与南朝同，并有“预借百姓六年租税”之事；所异者在普通压迫之外，更多一层民族压迫耳（高氏虽系出汉族，也是“渐染胡风”之人）。

然而军阀政治之祸还不止此。当时篡窃已成风气；不独功臣宿将无术自全，即兄弟骨肉之亲，亦相残杀，如宋武九子，四十余孙，六七十曾孙，死于非命者十之七八，且无一有后于世者；齐高武子孙，大半皆死于明帝之手（详见赵翼《廿二史劄记》）；北朝也有“子贵母死”之律。篡窃成功之际，夷灭前朝子弟，更不待说了。所以“愿生生世世不复生帝王家”成了贵族临刑的口号。这又是军阀在外患内乱交迫中，互相争夺，自贻伊戚的另一出悲剧。

南北争斗的过程

南北朝在对立的局势中，争斗始终不绝。“刘裕相晋，灭慕容超而复青齐，降姚洸而复洛阳，灭姚泓而复关中。其后关中虽为赫连勃勃所夺，而泝河西上，时遣王仲德在北岸陆行。魏将尉建弃滑台，仲德入据之。……宋将到彦之王仲德攻河南，明元帝遣长孙道生等追击，至历城而还，是历城亦宋地也。宋元嘉十九年，诏阙里往经寇乱，应下鲁郡复修学宫，是鲁郡亦宋地也。直至魏太武帝遣安颉攻据洛阳，克虎牢，克滑台……于是河南之地多入魏。魏孝文帝时，宋薛安都以彭城，毕众敬以兖州，常珍奇以悬瓠俱属于魏。张永，沈攸之与魏战又大败，于是宋遂失淮北四州及豫州淮南地。其后齐将裴叔业又以寿春降魏，于是淮北之地亦尽入于魏。……迨梁武帝使张绍惠取宿豫，萧容取梁城，韦睿取合肥……两国交兵争治淮之地者十余年。……魏末尔朱荣之乱，北海王颢奔梁，梁立为魏王，使陈庆之送之归国，深入千里。孝庄帝北走，颢遂入洛，梁之势几振。其后颢战败被擒，魏仍复所失地，而梁之地尚无恙也。及侯景之乱……江北亦为北齐所有。是时萧绎在江陵，乞师于魏……于是蜀地尽入西魏矣。是时梁之境，自巴陵至建康，惟以长江为限……岳阳王萧詧以绎杀其兄誉，遂据襄阳降西魏，西魏伐江陵，克之……乃以江陵易襄阳，使詧为梁王，而襄阳亦入于西魏矣。……计是时，江北尽入于北齐，西境则蜀中及襄阳俱入西魏，江陵又为萧詧所有，梁地更小于元帝时矣。陈霸先篡位，因之以立国……其后周陈通好，陈又赂周以黔中地及鲁山郡。迨北齐后主荒纵，陈宣帝乘其国乱，使吴明彻取江北……于是淮泗之地俱复。而是时周已灭齐，宣帝又乘乱争徐兖……反为周师所败……陈乃划江为界。江北之地尽入于周。故隋承周之地，晋王广由江都至六合，韩擒虎自庐州直渡采石，贺若弼自扬州直造京口，遂以亡陈也。”（赵翼《廿二史劄记》）长期争斗的结局，北胜南败。

南朝失败的原因

一般说来，南朝经济是较北朝发展的。论理，应该是南朝征服北朝。何以这次南北争斗，北胜南败呢？

话应这样说：“生产力发展在低度的时候，在经济发展不同的民族之间（如游牧民族与定居的农民族），其武装的差异，并不如经济发展达于高度者之大。加之，经济发展的进程，使某一民族的性质受了特殊的影响，灭缩其战斗力，常常不能抵抗经济落后而惯于战争的敌人。这即是常常看到和平的务农的民族为善战的民族所征服之故。”（普列哈诺夫［Plechanov］*Fundamental*

Problems of Marism，P.39）在民族性上来说，这种解释是不错的。再就具体的条件讲：魏文帝实行均田固然是图征取租税的方便，但在均田制度之下，社会生产也恢复到相当限度了。这即是说，在异族统治下北方的农民尚有血汗可供榨取。所以，史载“元象兴和之中，频岁大穰，谷斛至九钱”。“废帝乾明中……修石鳖等屯，岁收数万石，自是淮南军防粮廪充足。”“孝昭皇建中（北齐）……岁收稻粟数十万石，北境得以周瞻。”（皆见《隋书·食货志》）南朝情形就更坏了。商业资本既腐蚀农村，官吏榨取又异常严酷；农民已陷于血汗枯竭之境。齐高帝时，王子良曾上书说：

> 今所在谷价虽和，室家饥嗛，苦箪反。缣纩虽贱，骈门裸质。而守宰务在裒刻，围桑品屋，以准赀课，致令斩树发瓦，以充……乃有畏失严期，自残躯命；亦有斩绝手足，以避徭役。守令不先务富人而唯言益国，岂有人贫于下而国富于上耶？（《文献通考·田赋门》）

南朝农民既痛苦到这般地步，我们能说南朝社会内部的矛盾（阶级矛盾）仍小于南北对抗的矛盾（民族矛盾）么？及至侯景乱梁，肆行焚掠，则南朝愈破坏不堪了。像这样焦头烂额的江左，那里有力量与北朝抵抗呢？则其败也亦宜。

隋的兴亡

杨坚以都督中外诸军事的军阀，袭取周之遗业。当时北齐早已为周所并，地盘既广，搜括自丰，率领久战之部卒，进攻垂毙之江南，本是不大费力的事，于是我国的政治舞台又由对立而归于统一了。“百姓承平渐久，虽遭水旱而户口渐增。诸州调物，每岁河南自潼关，河北自蒲坂，至于京师，相属于道。昼夜不绝数月。”因此，我国旧史家认为“古今称国计之富者莫如隋”（《文献通考·国用门》）。换言之，即是中国封建制度，自汉末大乱以来，扰攘四百年，到此时，又重新走上自由发展之路。

隋代政权的性质非常明白，如宣布大地主制（见本章第一节），不用说了，此外修水利，免田赋……都是满足地主要求的。其建设大规模的交通网——如开运河，治驰道等等——本是统治全国所必需的条件，可是这些条件也给商人以利益，正如啖西域以利，劝令入朝，以壮声威，而国外市场因之扩大可以助商人的发展一样。至于“徙天下诸州富商大贾数万家于东都”，“课天下富人，量其赀产出钱……”，“课关中富人，计其赀产出驴……”简直饱含着“抑商”的意味。不过统治刀锋最锐的一面仍是宰割农民，除榨取租赋外，另有经常不断的徭役，如造仁寿宫，建东都，筑长城，造龙舟，幸江都，征吐谷浑，伐高句丽，动辄驱使数百万人，死者大半，“环四海以为鼎，跨九垠以为炉，爨以毒燎，煽以虐焰”（《新唐书·柳宗元传》）。都是以农民为牺牲者。农民到了无可奈何的时候，跟杨玄感造反，炀帝则谓“玄感一呼而从者如市，益知天下人不欲多，多则为贼，不尽诛，后无以示劝”，乃诏郡县坑杀。总之，隋代统治政策，有许多是效法秦始皇，仿佛疯狂似的推动社会矛盾向前发展。

记得黑格尔说过：“一切的大事件与人物在世界史的进程中，都以各种方式重复表现。”隋的统治政策既与秦相近，而隋的命运亦与秦相同。杨氏父子力征经营的事业，终于被自己所造成的矛盾——农民暴动——炸毁了。

第四节　唐代的治乱

唐代胜利的原因及其政权的性质

唐高祖以太原留守——军阀——起家，当时群雄并起，都想掠夺隋末农民暴动的果实以自肥，他听从“阴结豪杰，招纳亡命”的儿子李世民（太宗）之计，举兵反隋，与群雄相角逐，结果，群雄都先后屈伏了。农民暴动的果实，落到李氏父子的腰包，唐代三百年的统治，于以建立。李氏父子胜利的原因，最重要者有二：（一）由于会利用环境，抓住历史的事变，以展开自己的前途，其雄才大略，远出群雄之上。所谓“审独夫之运去，知新主之勃兴……决神机而速若疾雷，驱豪杰而从如偃草”（《旧唐书·高祖本纪》）者是也。（二）由于勾结异族——突厥，借异族之助来消灭国内的敌人；据《旧唐书·突厥传》有“高祖起义太原，遣大将军府司马刘文静聘于始毕（突厥可汗），引以为援，始毕遣其特勒康稍利等献马千匹会于绛郡，又遣二千骑助军……及高祖即位，前后曾赏赐，不可胜纪”等语。第一项本是一般“德玛哥格”（Demagogue）所优为，无庸评论。第二项则成为大问题，简直在历史上开了“借助外兵，驱除异己”的恶例，这也许是氏族矛盾小于阶级矛盾之一证吧！

我国旧历史家追述往昔的太平盛世，常把汉唐并举。诚然，汉唐两代的政治本有许多相同之处。对内则贞观（太宗年号）开元（玄宗年号）之治化与文景相同，对外则李靖，李绩的战功与卫青，霍去病媲美，这是值得后人流连向往的。但我们研究的中心不在比较这些表面的现象，而在剖析其内部的实质。汉代的政权属于地主，其采用重农抑商政策不啻是地主护身符，这种估计在前面第五章第一节，第二节已反复讲过。唐代是否与此相同呢？我们只要考察唐代的基本政策便知道了。先就土地政策言：唐初曾行过班田法，计丁授田，准许卖买，这无异于奖励兼并，所以不到百年，土地兼并过于西汉末叶（详见本章第一节）。这种土地政策是于地主有利的。其次，就赋税政策言：唐初有所谓租庸调，本是与班田法相辅而行的，到了土地兼并以后，则“输庸调者多无田之人”，这种赋税政策也是于地主有利的（详见本章第一节）。根据这两点即可以断定唐代的政权与汉代一样，同是地主的武器。就是到德宗时，改行杨炎的两税法，“以资产为宗，不以丁身为本”（陆宣公语），似乎对农民可以松一口气。但这不是政权上的让步，正如沙随程氏所说：“今炎创以新意，而兼并者不复追正，贫弱者不复田业，姑定额取税而已。”（《文献通考 · 田赋门》）唐代对于商人，有好处也有坏处。国际市场扩大，广州，交州，泉州，扬州，都成了世界商港，商人发财的机会更多，有些商人变成高利贷者，有些又变成重工业家。这是好处。而其坏处则有各种搜括政策，如借商钱（令商贾本钱过千万者贷其余以济军），税间架，算除陌，取僦柜纳质钱，山泽之利宜归王者，以及宦官主宫市，纵五坊小使敲诈等等（详见赵翼《廿二史劄记》与《唐书 · 食货志》），都是剥削商人的。当时长安商人曾因此“罢市”过。泾师扰长安之日亦在市上高喊“不夺尔商户僦质，不税尔间架除陌”的口号，可见当日商人已有相当力量了。总合这些情形，应该说唐代也与汉代相同是厉行“抑商”的。为什么“抑商”呢？不待言，不是防止商人剥削农民，而是防止商人进攻地主。假使把“抑商”的政策与什么“免田租”（实为田税）“耕籍田”一类的玩意对照一看，则唐代政权的阶级性就非常明白了。

女后与宦官

可是汉唐相同之处还不止此。汉唐政治既然都未跳出封建的樊笼，所以封建政治的病象，汉唐又如出一辙。汉代有女祸，如西汉的吕后，王后，东汉的窦后（章德皇后窦氏），邓后，阎后，梁后，窦后（桓思皇后窦妙），何后，都曾临朝称制（外戚干政是裙带关系引起的）。唐代也有武后，韦后，杨贵妃，尤以武后之改朝易姓（国号周），君临天下十五年（自称天皇帝），为我国历史上别开生面的创局。固然，在某种意义上，应该承认武后是世出的“英雌”，不过就封建政治系统言，其“杀唐子孙几尽”，总是唐代倒霉之事。其次，汉代有宦官之祸，已于前面第五章第五节讲过。唐代宦官之祸，比汉代尤烈。“推原祸始，总由于使之掌禁兵，管枢密，所谓倒持太阿而授之以柄。及其势已成，虽有英君贤相亦无如之何矣。……自德宗征泾师之变，禁军仓卒不及征集。还京后，不欲以武臣典禁兵，乃以神策天威等军，置护军中尉，中护军等官，以内官窦文场，霍仙鸣等主之。于是禁军全归宦寺。其后又有枢密之职，凡承受诏旨出纳王命多委之，于是机务之重又为所参预。……其始犹假宠窃灵，挟主势以制下；其后积重难返，居肘腋之地，为腹心之患，即人主废置亦在掌握中。僖宗纪赞，谓自穆宗以来八世，而为宦官所立者七君。……穆宗之立由陈宏志等之力……文宗之立由王守澄等之力……武宗之立由仇士良等之力……宣宗之立由马元贽之力……懿宗之立由王宗实等之力……僖宗之立由刘行深等之力……昭宗之立由扬复恭之力……此六七代中，援立之权尽归宦寺，宰相亦不得与知。且不特此也，宪敬二帝，至为陈宏志，刘克明等所杀，昭宗又为刘季述所幽。近侍之凶悖至斯而极。……卒之朝廷纲纪为所败裂，国势日弱，方镇日强。宦官虽握兵，转不得不结外藩为助。于是韩全海等劫天子，迁凤翔，倚李茂贞，致朱全忠攻围逾年，力穷势迫，帝与茂贞乃杀全诲等四人，韦处廷等二十二人以求和，又杀小使李继彝等十人。城门既开，又杀中宦七十余人。全忠又令京兆诛党与百余。既返京师，遂尽杀第五可范以下八百余人……至有无须而误杀者。唐室宦官之局至此始结。而国亦亡矣。宋景文谓'灼木攻蠹，蠹尽而木亦焚也！'"（赵翼《廿二史劄记》）蠹生于木，宦官生于封建制度，都是内在矛盾的发展。

府兵制

如果认为唐代重复了汉代的一切错误，这种说法，无异否认封建制度的进化，也是不对的。汉高大封同姓，曾引起吴楚七国之乱，唐代初年并未蹈这种覆辙。史载"太宗……与名臣萧瑀等喟然讲封建事，欲与三代比隆。而魏徵，李百药皆谓不然。徵意以唐承大乱，民人雕丧，始复生业，遽起而瓜分之，故有王不可之说。百药称帝王自有命，历祚之短长，不缘封建，又举春秋二百四十二年之祸，亟于哀平桓灵。……天子由是罢不复议"（《新唐书》卷七十八）。所以唐代"亲王"，"郡王"，"国公"……等等并无官土，其加实封者则实其封，分食诸郡，以租调给，手无一兵。中央政府则施行“府兵制”，于全国置六百三十四府以统兵，而京畿附近占了二百六十一府。“若四方有事，则命将以出，事解则罢，兵散于府，将归于朝，故士不失业而将帅无握兵之重。”（《新唐书·兵志》）这种制度，“起于西魏后周而备于隋”，到唐代就更完密了。所以，沙发诺夫说：“唐代是中国封建制度表现军事勇气最不多见的时期之一。那种有训练的、有组织的、有武装设备的常备军，就是为着掠夺政策之实现而必需的。”（《中国社会发展史》三百一十五页）

方镇之祸

可是在封建矛盾的发展中，“府兵法坏而方镇盛，武夫悍将虽无事时据险要的方面，既有其土地，又有其人民，又有其甲兵，又有其财富，以布列天下。然则方镇不得不强，京师不得不弱……夫所谓方镇（一名藩镇）者节度使之兵也。原其始起于边将之屯防者。唐初，兵之戍边者，大曰军，小曰守捉，曰城，曰镇，而总之曰道……道有大将一人……曰大都督。自高宗永徽以后，都督带持使节者始谓之节度使，然犹未以名官。景云二年（睿宗年号）以贺拔延嗣为凉州都督河西节度使。自此以后，接乎开元，翔方，陇右，河东，河西诸镇皆置节度使。及范阳节度使安禄山（胡人）反，犯京师，天子之兵弱不能抗，遂陷两京。肃宗起灵武，而诸镇之兵起诛贼。其后禄山子庆绪及史思明父子继起，中国大乱。肃宗命李光弼等讨之，号为九节度之师。久之大盗既灭，而武夫战卒以功起行阵列为侯王者皆除节度使。由是方镇相望于内地，大者连州十余，小者犹三四。故兵骄则逐帅，帅强则叛上，或父死子握其兵而不肯代，或取舍由于士卒，往往自择将吏，号为留后，以邀命于朝，天子顾力不能制，则忍耻含垢，因而抚之，谓之姑息之政。盖姑息起于兵骄，兵骄由于方镇，姑息愈甚而兵将俱愈骄。由是号令自出，以相侵击，虏其将帅，并其土地，天子熟视，不知所为，反为和解之，莫肯听命。始时为朝廷患者是河朔三镇，及其末，朱全忠以梁兵，李克用以晋兵更犯京师。李茂贞，韩建近据岐华，妄一喜怒，兵已至于国门，天子为杀大臣，罪己谢过，然后去。……其他大镇，南则吴越荆湖闽广，西则岐蜀，北则燕晋，而梁盗据其中，自国门以外，皆分裂于方镇矣”（《新唐书 · 兵志》）。这可以说达到军阀政治之最高峰。其末流所及，酿成五代（梁，唐，晋，汉，周）十国（吴，前蜀，南汉，闽，吴越，楚，南平，后蜀，南唐，北汉）。纷扰不宁之局，一直到北宋开国时，军阀政治才宣告闭幕。

方镇“起于边将之屯防”，本是御外的。可是武人的枪头喜欢对内，古今如出一辙。这些军阀有武器在手，就跋扈不臣，把唐室整个的疆土，分割得七零八落。所以说：军阀与内乱总是分不开的。然而军阀不仅是造成内乱而已，并且是勾结外患的“前哨”。安禄山以胡人而兼范阳平卢两节度使，暗招奚及契丹人补充军队，扰害中原，是唐代祸乱的开始，以后沙陀兵随李克用而进中国，纵横驰骋，所向无敌。到石敬瑭的时候，更不成样子，他向契丹求助，不惜割让燕云十六州（现在河北，察哈尔，山西一带）以为报酬，影响整个民族的命运至数百年之久。军阀出卖民族利益这样无所忌惮的呵！不了解这些历史的教训而希望军阀团结一致对外的人，简直是痴人说梦！

在这里要郑重说明的，我们不能把唐代方镇之祸看成几个军阀首领的骄横，而应该注意其社会背景。当时土地的集中与商品经济的发展，驱逐农民离开生产而失业，这种失业队伍是军阀士卒的泉源。所以跋扈不臣的军阀仍是社会的产物。有“悍将”，就有“骄兵”，于是“兵骄逐帅”以及“自择将吏，号为留后”的“兵变”，便相因而生了。兹引一例如下：

……李希烈围哥舒曜于襄城，诏泾原节度使姚令言督镇兵五千东救曜，过阙下，师次浐水。京兆吏王翃使吏供军粝饭菜者，众怒不肯食。群噪曰：“吾等弃父母妻子，前死敌，而乃食此，庸能持身蹈白刃耶？今琼林大盈宝货而山，尚何往？”乃尽甲反旗而鼓。（《新唐书·朱泚传》）

这件事实，说明了社会矛盾转移到军队中而乘机爆裂出来。不过这一类兵变，每每为上层军官所利用，以争夺其个人利益，士卒仍得不到什么。

第五节　六朝隋唐的政治组织与选举科举制度

中央政治组织

从第二节至第四节，只约略分析六朝隋唐的军阀活动，尚未谈到国家政治组织，本节拟就后者摘要言之。据《文献通考》所载："魏与吴蜀多依汉制。晋氏继及，大抵略同……爰及宋齐，亦无改作……梁氏受终，多遵齐旧……陈遵梁制，不失旧物……隋文帝践极，百度伊始，复废周官，还依汉魏，其于庶僚，颇有损益……唐职员多因隋制，虽小有变革，而大较不异。"可以说六朝隋唐的政治组织，大半是因袭的。

汉代设有三公，掌机要，但从光武以后，"虽置三公，事归台阁（尚书），三公之职，备员而已"，这一点在前章第二节已讲过。魏初设秘书省，受禅后，改为中书省，于是中书任枢机，尚书又成了尊而不亲之官。东晋以后，迄于南朝，因中书令监已为参预机要的廷臣，皇帝又常与时在左右的侍中，商议政事，不专任中书，于是又有门下省，以侍中为长官，而中书之权又分。北魏尤重门下省，多以侍中为辅政大臣，于是机要又移归门下省。为什么有这样的转变呢？因为中书与侍中，为皇帝之私人，魏晋以来，篡窃已成风尚，凡任中书与侍中者皆运筹帷幄佐命移祚之人，故以私人居是官。而所谓三公者，古有其官，未容遽废，故必择其老病不任事，依违不侵权者而充之。隋代并置尚书，中书，门下三省，以三省长官——尚书令，中书令，侍中——共议国政，三省始并重，同居宰相之职。唐初仍用三省长官为宰相，中书面受机务，门下掌封驳，尚书承而行之。但因太宗曾做过尚书令，无人敢继其职，则以左右仆射为尚书省长官（尚书省分六部：吏，户，礼，兵，刑，工；前三省者属左仆射，后三者属右仆射）。不久，又必以左右仆射，加同中书门下平章事，始为真宰相，于是三省仍合为一。到玄宗时，以中书务剧，文书多壅滞，选翰林学士知诏诰，机要之事又归学士院。中叶以后，设立枢密使，使宦官领之，学士与中书又见疏远。昭宗以后，枢密使又移于外廷。五代因唐制，枢密使由皇帝的心腹大臣充任，实权遂超过同书中门下平章等事之上了。

由此看来，由汉到唐这一阶段，宰相之职，机要之位，由三公而尚书，由尚书而中书，由中书而门下侍中，到隋唐而三省并重，以后又三省合一，而学士院，而枢密使。大抵把宰相之权移于亲臣，移于宦官而已。这是外戚，宦官，以及嬖幸之臣把持朝政的原因吧！（参见《晋书·职官志》，隋唐书《百官志》）

地方政治组织

以上是就内官说的。至于外官的变迁与内官正相反，内官权力日轻，而外官的权力则日重。汉末改设州牧，即播下军阀的种子。西晋大封宗室，令诸王皆得“选吏”“置军”，引起八王之乱。东晋南渡，江左偏安，反多置州郡以自夸大，于是有所谓“侨置”的州郡，州郡虽多，辖境实小。可是当时以军阀横行，军阀总欢喜大地盘，所以有兵权的人，每每以一人而都督许多州的军事。隋代统一以后，改州为郡，县太守。唐兴，改郡为州，改太守为刺史，又置都督府以治之。太宗因山川形便，分天下为十道，道无长官，派二十人为巡察使，察举州县，再周而代。睿宗时以都督府权重，罢之，于各道设按察使。玄宗又改为采访处置使，并改州为郡，改刺史为太守。德宗以后，分天下为四十余道，各置观察使，其责任只是访察善恶，举其大纲，并不直接理事，到后来往往侵夺地方官的实权，无人敢与之抗。而且当时方镇之祸已起，有兵马的地方都有节度使，凡有节度使的地方，不管有多少“使”的名目，都是一人包办，不仅地方官不敢与之抗，就是中央政府也无权指挥了，这便成了“内轻外重”之局。（参考晋隋唐书《地理志》与《文献通考·职官门》）

至于地方自治制度，汉代本有三老，啬夫，游徼之设（见前第五章第二节），但魏晋以来则日益崩坏。到隋代，规定县尉等以下地方官吏用他郡人（《文献通考》卷六十三），又外官九品以上，父母及子年十五以上不得随官赴任；州县佐吏三年一代，不得重任（《资治通鉴》隋开皇十四年）。这样一来，地方自治制度，便受到根本的打击了。

选举制度

看了上述的政治组织，便知道整个统治机关都落在一部分人的手里，其他大部分人却排斥于统治机关之外，这种组织当然不大安全。统治者懂得这一点，所以于垄断之中，又开放了一个小门，使排斥于统治机关之外的大部分人，其中也有十万分之一或百万分之一可以“高升”，领略皇室的恩泽。这样一来，在士大夫中所造成的“幻想”就非常之大了。这个小门即是选举制度。

汉代有所谓“乡举里选”，凡行谊文学为乡里所推重者得被选举以备皇帝录用（自然要经过曲曲折折的道路）。在初期，这种办法也还有相当意义。不料到末叶竟闹得一塌糊涂，“凡所选用莫非情故”，以致有“举秀才不知书，察孝廉父别居，寒素清白浊如泥，高弟良将怯如鸡”（《抱朴子》）的笑话。魏晋行九品中正之法，郡邑设小中正，州设大中正，由小中正品第人材，以上大中正，大中正核实，以上司徒，司徒再核，然后付尚书选用。似乎比专靠乡评以定去取者更慎重些。但做中正的人，往往借此勾结权贵，于是“上品无寒门，下品无世族”，计人定品之法，一变而为计门阀定品之法。东晋时，王谢诸族分踞要津，门阀之见益牢不可破，形成世族寒门对立的社会。南朝士庶不得相坐语，不得通婚嫁。北朝则以官阶的大小，定门阀的高低，凡三世有三公的，各为膏粱之家，三世有尚书令仆射的，名为华腴之家；又以文做到尚书，武做到领军护军以上的为甲姓，做到九卿及州刺史的为乙姓，其次为丙姓，再其次为丁姓，能加入四姓的才算是门阀之家。九品中正之流弊如此，又把士大夫“高升之门”闭塞了。

科举制度

自乡举里选到九品中正，大都在被选后加以考试。汉代试以关于当时之务的策向，魏晋以来则试以诗赋。九品中正之法既不可行，就索性凭考试为去取，于是隋唐的科举制度便大行其道了。科举与选举虽不无差别，但同是士大夫“高升之门”。

隋文帝开皇中罢中正，建秀才科；炀帝大业中建进士科；实为科举制度的权舆。“唐制取士之科多因隋旧，然其大要有三：由学馆者曰生徒，由州县者曰乡贡，皆升于有司而进退之。……其天子自诏者曰制举，所以待非常之才焉。”（《新唐书·选举志》）生徒乡贡科目有秀才，明经，进士，俊士，明法，明字，明算，一史，三史，开元礼，道举，童子等等。就中以进士，明经两科为最重。进士试诗，赋，论，策；明经试帖经，墨义。

但当时注重前者，鄙弃后者，只有不会做诗赋的人才去试明经，所以有“焚香看进士，瞋目待明经”之谚语。制举中有不求闻达科，贤良方正科……似乎以行取人，然必须词藻宏丽，天宝（玄宗年号）以后，也要诗赋。诗赋简直是当时士大夫不可少的“敲门砖”了。登科以后，不是马上可以做官，还要试于吏部，叫做“释褐试”，释褐试及第，才授之以官。这是唐代士大夫“高升”的过程。

科举制度的流弊是很多的，使读书人的聪明才力完全消耗于空疏无用的纸片上面。但统治者的本意，并不是想借科举养成人才，不过驱策全国智能之士在科举制度下有事干，有官升，好去拥护一部分人所垄断的统治机关。科举制度在我国流行千余年，其秘密就在这里。“天下英雄，入吾彀中”，即是唐太宗公开的自白。有些人看不透统治者所设的圈套，反说“隋唐以后的科举制度实有破除阶级的大功”（吕思勉《白话本国史》第二篇下第三章第七节）。这种说法是见树而不见林。因为科举制度未曾变更社会的组织，只将极少数攀龙附凤的士大夫提拔到统治机关里去，把政权的阶级性稍为掩饰一下；而压在统治机关下的大多数人还是不能翻身。即就这些“高升”的士大夫说，也是“赵孟之所贵，赵孟能贱之”，无非替统治者服役而已。原有的阶级一点也没有破除。

第六节　隋唐末叶的农民暴动

隋末农民蜂起与其著名的首领

隋代统治政策有许多是效法秦始皇，以致杨坚父子力征经营的事业终于被自己所造成的矛盾——农民暴动——所炸毁，这在前面第三节里已说过的。隋末农民暴动遍于全国，据《隋书·炀帝纪》（卷四）所载，同时并起者有五十余股之多，“大则跨州连郡，称帝称王，小则千百为群，攻城剽邑……普天之下，莫匪仇雠，左右之人，皆为敌国”。当时聚众数十万者有窦建德，朱粲，赵万海，李密……聚众十余万者有谢变，管崇，孟让，王薄，格谦，唐弼，王须拔，魏子儿，刘明明，李通德……等等，而聚众在十万以下者则不胜枚举，可以想见七处冒火，八处冒烟的情形。自然也有如萧铣（后梁宣帝曾孙），李密（祖父累世封公）……之流，是趁火打劫的。就中由农民出身，气魄最大的无过于窦建德。他在农民暴动的过程中支持六年之久，曾称夏王，署官属，分治郡县，有兵三十万，其势力足与唐（李氏父子）郑（王世充）鼎足相持，可以说是历史上不多见的农民首领。史载“窦建德贝州漳南人，世为农。……乡人丧亲，贫无以葬，建德方耕，闻之太息，遽解耕牛与给丧事，乡党异之。……犯法亡，会赦归，久之，父卒，里中送葬千余人，所赠予皆让不受。……邑人孙安祖盗羊，为县令捕劾笞辱，安祖刺杀之，亡抵建德，建德阴舍之。时山东饥，群盗起……建德为招亡兵及民无产者数百，使安祖率之，入高鸡泊为盗。……诸盗往来漳南者多剽杀人焚乡聚，独不入建德闾，郡县意建德与贼通，捕族其家。建德众益盛，至万人，犹保高鸡泊，然倾身接物，其执与士卒均，由是能致人死力。……每下城破敌，赀宝并散赉将士。……”（《新唐书·窦建德传》）像这些史实，足以证明窦建德是代表农民利益而积极奋斗之一人。

可是窦建德毕竟为救郑而顿兵虎牢，在其劲敌——

李世民——之前失败了，失败的原因，固然是当时客观条件所决定。但在主观方面，亦有不容许之错误。炀帝本是全国农民的死对头，宇文化及杀炀帝，建德不惟不曾声讨炀帝的罪恶，借此鼓励农民争取最后的胜利，反说："吾隋民也，隋吾君也，今化及杀之，大逆不道，乃吾仇，欲为天下诛之。"（同上）这样一来，在政治立场上就失掉了农民的信仰，就失掉了举兵的意义，就与"尊隋帝为太上皇"的渊没有差异。又滑州刺史王轨为奴所杀，奴以首奔建德，为彻底推翻隋的统治起见，正宜加以奖励。建德反说："奴杀主，大逆……"（同上）斩奴而返轨首。这样对付叛逆的奴隶，简直是公开的挽救隋代垂危的统治了。此外，如拒绝凌敬的建议，不乘虚取山北以解郑围，而指挥"日夜思归"的部卒，正面向虎牢进攻，在军事上亦属失着。窦建德犯了这些错误，就应了"豆入牛口，势不得久"的谣言（建德在虎牢败后，窜牛口谷，为李世民部下所擒），而枭首于长安市上了。窦建德的失败，可以影响整个农民暴动的前途。于是如火如荼的农民暴动，不得不又走上赤眉与黄巾的失败之路。李氏父子遂因缘时会而成帝业。

黄巢之乱

我国历史总带了几分滑稽性：掠夺农民暴动之果的李氏，在金銮宝殿上坐了三百年，不料又来了一个替代农民复仇的黄巢，把李氏江山打得支离破碎。到现在一提到这个“杀人八百万”（？）的魔王，还使一部分人闻之心悸，可以想见他当日的威风了。

然而黄巢毕竟不是什么从天而降的“煞星”，而是当时社会关系的产物。唐代农民在土地集中与商品经济发展的环境之下，已经无路可走，加以宦官的诛求无已，方镇的剥削日深，大家已有死之心无生之气。懿宗时，裘甫作乱于浙东，庞勋反叛于徐泗，就是暴风雨的先兆。

为说明当时的具体环境起见，特引下面一段史实：

> ……关东去年旱灾，自虢至海，麦才半收，秋稼几无，冬菜至少。贫者硙蓬实为面，蓄槐叶为齑，或更衰羸，亦难收拾。常年不稔，则散邻境。今所在皆饥，无所依据，坐守乡间，待尽沟壑。其蠲免余税，实无可征。而州县以有上供，及三司钱（户部转运盐铁为三司），

督趣甚急，动加捶挞。虽撤屋伐木，雇妻鬻子，止可供所由（督促租税之吏卒）酒食之费，未得至于府库也。或租税之外，更有他徭。朝廷傥不抚存，百姓实无生计。(《资治通鉴》卷二百五十二）

黄巢是继王仙芝而起的。史载："巢少与仙芝贩私盐为事。巢善骑射，喜任侠，粗涉书传，屡举进士不第，遂为盗；与仙芝攻剽州县，横行山东，民之困于重敛者争归之；数月之间，众至数万。"（同上）从这几句话中，看出革命时机已十分成熟了。当时官军不能与农民抗，且有些上层军官已经动摇，如平卢节度使宋威说："昔庞勋灭康承训，即得罪，吾属虽成功，其免祸乎？不如留贼，不幸为天子，我不失作功臣。"(《新唐书·黄巢传》）又如山南东道节度使刘巨容说："国家多负人，危难不吝赏，事平则得罪，不如留贼冀后福。"（同上）在这种土崩瓦解的破局中，唐室天子毫无办法，只想用收买政策以官爵诱惑上层农民领袖，把事变消灭下去。当时蕲州刺史裴渥为"贼"求官，诏拜仙芝左神策军押衔，仙芝喜，巢反对说："君降独得官，五千众且奈何？"仙芝惮众怒，即不受命。（同上）可见收买政策在群众激昂的情形下面是不能奏效的。仙芝战死，其部推黄巢为王，号冲天将军，有众十余万。入浙东，下福州，陷广州，沿海财富之区都踏遍了。正如于琮所说："南海市舶利不赀，贼得益富而国用屈。"（同上）后因军士犯疫，十死三四，遂引北还。下衡永，破潭州（长沙），进逼江陵，号五十万。在荆门大败，复整部卒入鄂州（武昌），转江西，再入饶信杭州，众至二十万。官军屡奏破巢，皆不实，朝廷信之，稍自安。巢于是由采石渡江，北陷东都，进攻潼关，有众六十万。当时神策军都是豪富子弟，平素贿赂宦官，列名军籍以避赋役；听说要打仗，皆哭于家，因出赀雇穷人代替，以备行阵。这些不习战斗的人，当然不能抵御，潼关以此失守。这位冲天将军就被唐室金吾大将军张直方与群臣迎入长安，且在数千宫女迎拜声中，升太极殿，而称"承天广运启圣睿文宣武皇帝"了。黄巢何以得到这种胜利呢？这是古语说的"盗亦有道"吧！史载："巢陷东都，留守刘允章以百官迎贼，巢入劳问而已，里闾晏然！"（同上）及入长安，“见穷民，抵金帛与之。尚让即妄晓之曰，黄王非如唐家不惜而辈，各安毋恐”（同上）。但对官吏贵族则又非常残酷，史载：“捕得官吏悉斩之”，“宗室侯王屠之无类矣”（同上）。根据这几件史料，可以窥见黄巢的“行动纲领”了，其到处受农民的拥戴，动辄有数十万人聚合，并非偶然。

黄巢虽然得到暂时的胜利，建立短期的政权，可是农民的势力是散漫的，而又缺乏粮食，所以抵不住统治者最后的反攻。何况唐室又引入李克用的沙陀兵，驱策训练有素的铁骑，来与农民对垒，自然后者非前者之敌。于是黄巢不得不弃长安，出潼关，加之内部又起分化，朱温（全忠）尚让皆投降，剩下的部卒渐次为沙陀兵所击破了。沙陀兵简直成了当日的“常胜军”呵！

唐末轰轰烈烈的农民暴动，就在地主军队与异族军队合作之下被镇压下去；唐天子（僖宗）虽说依然回到长安的皇殿上，可是无力制服这支吞没农民队伍的“常胜军”（沙陀兵），因此，李克用成了“天之骄子”了。这种结果，从民族观点上说，总算是极大的耻辱，或者由“宁赠友邦，勿予家奴”的皇帝看来，也许是“求仁得仁”吧!

第七节　六朝隋唐的意识形态

从思想不自由到思想大解放

两汉的儒术，虽然变了质，但一般说来，仍有唯我独尊压倒一切的趋势。到了六朝隋唐，情形就大变了。从前儒家凭借王者之力所夺的地盘，渐渐让给老庄，让给释迦牟尼，甚至让给张道陵与寇谦之，形成“儒”“释”“道”三教鼎立之局。可以说是从思想不自由的时代，转变到思想大解放的时代。换言之，儒家再没有唯我独尊压倒一切的权威了。

为什么有这种转变呢？我们应该从社会背景上去了解。六朝隋唐本是军阀活跃篡窃盛行的世界。儒家尊君亲上，谨守礼法，与篡窃者以不便。所以曹氏首先把这个偶像打破，他下令求贤，竟公开的说：“夫有行之士未必能进取，进取之士未必能有行也。陈平岂笃行，苏秦岂守信乎？士有偏短，庸可废乎？有司明思此义：则士无停滞，官无废业矣。”这是攻下儒家壁垒的第一炮。

加之，在篡窃不断的过程中，禁网日密，士大夫动辄获罪。如《晋书·阮籍传》说："籍本有济世志，属魏晋之际，天下多故，名士少有全者，籍由是不与世事，遂酣饮以为常。"又如陶潜《感士不遇赋》说："雷同毁异，物恶其上。妙算者谓迷，直道者云妄。坦至公而无猜，卒蒙耻以受谤。虽怀琼而握兰，徒芳絜而谁亮？哀哉士之不遇已！"（《陶渊明集》）在黑暗吞没了一切的时代，必然有适应这时代需要的东西。于是"学者以老庄为宗而黜六经，谈者以虚荡为辨而贱名检，行身者以放浊为通而狭节信，进仕者以苟得为贵而鄙居正，当官者以望空为高而笑勤恪"（《晋书》卷五）。这样一来，儒家的壁垒就大半崩溃了。

老庄哲学

在儒家残破的壁垒之废墟上放出一朵奇葩，是老庄哲学。"魏正始中，何晏王弼祖述老庄，立论以为"天地万物皆以无为本，无也者，开物成务无往不存者也"（《晋书·王衍传》）。从此老庄盛行。以后阮籍，稽康，山涛，向秀，刘伶，阮咸，王戎（竹林七贤）之流，起而仿效。史载："阮籍博览群籍，尤好老庄"，"嵇康读老庄，重增其放，故使荣进之心日颓，任逸之情转笃"，"山涛性好老庄，每隐身自晦"，"向秀好老庄之学，为之隐解，发明奇趣，振起玄风，读之者超然心悟"……（各见《晋书》本传）当时父老师友之所讲求，大抵以老庄为重，《六经》中除《易》以外，余皆束之高阁。渡江以后，专立玄学，把《老子》，《庄子》，《周易》总为三玄，以相教授。反对者虽不乏人——如裴頠著《崇有论》，范宁谓何王之罪深于桀纣——但风尚已成，卒莫能变。要之六朝醉心老庄哲学，任自然，主无为，本针对当时纷扰不宁的现状而发，仅仅是消极的反抗，即以陶潜（他虽服膺老庄，并不忘情孔氏）的乌托邦——桃花源——而论，亦不过老子"小国寡民"的素描，至多也只能以"不知有汉，无论魏晋"二语表示不满而已。求其能大声疾呼一鸣惊人者，无过于鲍敬言的反君主制度论。他说："曩古之世，无君无臣……汎然不系，恢尔自得。降及叔季，智用巧生，道德既衰，尊卑有序。……使彼肆酷恣欲，屠割天下，由于为君，故得纵意也。……夫獭多则鱼扰，鹰众则鸟乱，有司设则百姓困，奉上厚则下民贫。……田芜仓虚，杼轴乏空，食不充口，衣不周衣，欲令勿乱，其可得乎？所以救祸而祸弥深，峻禁而禁不止也。关梁所以禁非，而滑吏因之以为非焉；衡量所以检伪，而邪人因之以为伪焉；大臣所以扶危，而奸臣恐主之不危；兵革所以靖难，而寇者盗之以为难；此皆有君之所致也。”（《抱朴子·诘鲍篇》）这样公开的与君主制度宣战，确属儒家尊君潮流之反动，在大家挥尘尾竞清谈的时候，能发生超绝流俗议论——虽说带有无政府主义的倾向——总算是革命的怒吼吧！

道教与佛教

西汉儒家曾经一度方士化。自从古文家“六经皆史”之说出，方士便与儒家分离。这些浮游无归的方士余孽，遂自附于黄老而创立所谓道教。东汉张道陵之创五斗米道（入道者出五斗米），张角之创太平道，都属于符箓派，以灾异神怪之术，投合下层社会的嗜好，曾以此在农民中鼓起风暴。西晋时，葛洪好神仙导养之法，兼综练医术，暮年隐罗浮山炼丹，著《抱朴子》，阐明清净，炼养，服食之说，道教的理论基础于以建立（参见《晋书·葛洪传》）。到了北魏，寇谦之以崔浩的援引，取得太武帝的信用，起天师道场于京城之东南，重坛五层，有道士百二十人祈祷，皇帝亲至道坛受符箓，于是道教就在社会上成为有势力的宗教了（参见《魏书·释老志》）。

在老庄玄学弥漫全国的时候，却又受西方佛教的影响，使我国学术思想为之变色。关于佛教输入的年代，历史上本有异说。据《魏书·释老志》载："张骞使大夏还，传其旁有身毒国，一名天竺，始闻有浮屠之教。哀帝元寿元年博士弟子秦景宪受大月氏王使伊存口授浮屠经，中土闻之，未之信了也。后孝明帝梦金人顶有白光，飞行殿廷，乃访群臣，传毅始以佛对。帝遣郎中蔡愔博士弟子秦景等使于天竺，写浮屠遗范，愔乃与沙门摄摩腾、竺法兰东还洛阳。中国有沙门及跪拜之法自此始也。"但当时佛教在社会上并无大影响。到了五胡乱华之际，人民生活不安，佛教便成为应时妙品。加以"佛图澄入邺而石虎杀戮减半；渑池塔放光而符坚椎锯用息"（《弘明集》卷十一《何尚之答宋文帝赞扬佛教事》），佛教而可以拯救生灵。所以信仰者一天多似一天。南朝梁武帝最崇信佛教，当时受斋者达四万八千人。降及隋唐，益行发展，玄奘从陆路至印度得经六百部；义净从海路至印度得经四百部，从此译成中文，传播更广。佛教十三宗——成实宗，三论宗，涅槃宗，律宗，地论宗，净土宗，禅宗，俱舍宗，摄论宗，天台宗，华严宗，法相宗，真言宗——都是导源于六朝隋唐，可以想见当时佛教之光芒万丈了。（详见梁启超《中国古代思潮》）

儒释道的争斗

说到儒家，在东汉末叶郑玄已集大成，可是偏有一个王肃（晋武帝的外祖）出来与郑玄反对，伪造孔安国《尚书传》，《论语》，《孝经注》，《孔子家语》，《孔丛子》五部书以互相引证，把自己驳郑的话，都嵌进这五部书之内，于是郑王两派互相水火，郑派势力稍稍衰歇。到老庄释道活跃的时候，儒家便江河日下了。然而百足之虫，至死不僵，即在五胡乱后，儒家终不乏抱残守缺之人，如北朝治经学者魏以徐遵明为大宗，周隋以刘炫刘焯为大宗。南朝经学虽不如北，但在萧梁初期与梁武帝四十余年间儒学亦盛。可见儒家仍有残破的壁垒可守（参见赵翼《廿二史劄记》）。

儒释道既已分庭抗礼，各有地盘，各有部卒，当然要引起争斗。儒家如刘勰之流据礼教纲常以谤佛（刘勰《灭惑论》），道家如王浮之流则捏造老子化胡以自尊（王浮《老子化胡经》），儒道二教都以佛为“舶来品”，则又在严夷夏之防的共同战线上指佛为西戎之法（顾欢《夷夏论》）。而佛教家弟子亦反唇相讥，毫不退却，甚至推天竺为中国（如经曰：佛据天地之中，而清导十方，故知天竺之土是中国也）。各是其是，各非其非。（参考杨东莼《中国学术史讲话》二二一——二二三页）这一幕激烈的争斗，表面上好像由于宗教门户之见，其实在宗教的大衣之下，含有社会矛盾的内容，正如西方的宗教改革运动反映出当时各阶级的利害冲突一样。

可是释道既有其社会存在的基础，自然非儒家少数卫道先生所能排斥。在这种基础未消灭以前，不管卫道先生如何愤怒，终须软化。终须屈伏。北齐颜之推以为“内（释）外（儒）两教本为一体”（《颜氏家训·归心篇》），隋代王通（文中子）有“三教合一”之说（《中说·问易篇》)，即是“软化”与“屈伏”的证据。唐代有“文起八代之衰而道济天下之溺”的韩愈，曾拼命辟佛老，结果，仍无损于佛老的毫末，只落得自己的碰壁——谪贬潮州——而已。至于李翱的《复性书》，冶老庄儒释于一炉，简直是宋代理学的前驱了。

三联经典文库第二辑简目

《游击战教程》 明凡 / 著

《游击战术纲要》 陶剑青 / 编著

《汪精卫卖国的理论与实践》 钱俊瑞 / 著

《抗战以来》 韬奋 / 著

《陕行纪实》 楚云 / 著

《随军散记》 沙汀 / 著

《被日寇囚系半载记》 王研石 / 著

《倭营历险记》 房沧浪 / 著

《活跃的新西北》 田影 / 编著

《保卫华北的游击战》 刘清扬 陈北鸥等 / 著

《徐州突围》 《徐州突围》编委会 / 编

《沦亡的平津》 长江 小方等 / 著

《淞沪火线上》 胡兰畦等 / 著

《瞻回东战场》 长江 罗平 / 著

《东线的撤退》 胡兰畦等 / 著

《抗战中的西北》 徐盈 / 著

《鲁闽风云》 徐盈等 / 著

《西线生活》 西北战地服务团集体创作

《中国解放区见闻》　［美］福尔曼著 / 朱进译

《全面抗战论》　潘汉年 / 著

《日本的间谍》　范士白自述 / 尊闻译

《日本大陆政策的真面目》　国难资料编辑社 / 编

《民众动员论》　李公朴 / 著

《中国外交史》　钱亦石 / 编著

《太平洋军事地理》　蒋震华 / 著

《世界经济地理讲话》　思慕 / 著

《列强军力论》　［德］马克斯·威纳尔著 / 宾符　仲持　梅益等译

《近代国际关系史》　张铁生 / 著

《太平洋现势手册》　沈志远　石啸冲 / 编著

《近代世界政治史》　钱亦石 / 著

《从战争到和平——一九四五年的世界政治》　乔木 / 著

《战后日本问题》　思慕 / 著

《最近一年间的国际动态（1946.7—1947.6）》　《东北日报》社 / 编

《论政党》　翟放 / 著

《法与宪法》　韩幽桐 / 编著

《中华民国宪法刍议》　罗家衡 / 著

《民主·宪法·人权——作之民》　费孝通 / 著

《宪法论初步》　潘念之 / 著

《对反民主的抗争》　韬奋 / 著

《农村改进的理论与实际》　江恒源 / 著

《上海产业与上海职工》（上下）　朱邦兴　胡林阁　徐声 / 合编

《陶行知教育论文选辑》　陶行知著 / 方与严编

《中国通货膨胀论》　杨培新 / 著

《中国及其未完成的革命》　H・普拉特著 / 蒋天佐译

《中国的建设问题与人的训练》　卢作孚 / 著

《论中国特殊性及其他》　艾思奇 / 著

《中国经济问题讲话》　钱俊瑞　徐雪寒　王渔邨　姜君辰　骆耕漠 / 合著

《中国经济的道路》　许涤新 / 著

《中国财政之病态及其批判》　孙怀仁 / 著

《官僚资本论》　许涤新 / 著

《五四运动之史的评价》　陈端志 / 著

《中国通史简编》（上下）　中国历史研究会　范文澜 / 主编

《论文学的工农兵方向——读〈在延安文艺座谈会上的讲话〉》　雪苇 / 著

《中国近代史（上编　第一分册）》　武波 / 编著

《文学百题》　傅东华 / 编

《中国史学之进化》　周谷城 / 著

《论民族形式问题》　胡风 / 著

《论批评》　荃麟等 / 著

《中国史纲》（第一卷上下、第二卷上下）　翦伯赞 / 著

《近代中国思想学说史》（1–4）　侯外庐 / 著

《中国政治思想史》（上下）　　吕振羽 / 著

《中国哲学史纲要》　　向林冰 / 著

《中国政治史讲话》　　钱亦石 / 著

《中国社会经济史纲》　　王渔邨 / 著

《新财政学大纲》　　千家驹 / 著

《太平天国革命运动论文集——金田起义百周年纪念》

华北大学历史研究室 / 编

《理性与自由——文化思想批评论文集》　　胡绳 / 著

《战斗者的诗人》　　黄药眠 / 著

《国语文法》　　曹朴 / 著

《教育哲学》　　张栗原 / 著

《妇女问题讲话》　　杜君慧 / 著

《婚姻 · 子女 · 继承》　　沙千里 / 著

《性教育新论》　　布士克　雅各生合著 / 董秋斯译

《狱中杂感》　　杜重远 / 著

《七人之狱》　　沙千里 / 著

《爱迪生传》　　伍况甫 / 译

《歌德自传》（上下）　　歌德著 / 思慕译

《尼赫鲁自传》　　［印度］尼赫鲁著 / 毕来译

《列宁传》　　［苏］凯尔任采夫著 / 企程　朔望译

《罗斯福总统传》　　C. Mackenzie 著 / 张尚之译

《托尔斯泰传》（1–3）　　［英］阿尔麦 · 莫德著 / 徐迟译

《革命文豪高尔基》　［美］亚历山大·康恩著/韬奋编译

《鲁迅纪念特辑》　新中国文艺社/编

《回忆鲁迅先生》　萧红/著

《人民文豪鲁迅》　平心/著

《亡友鲁迅印象记》　许寿裳/著

《鲁迅思想研究》　何干之/著

《鲁迅研究》　夏征农/编

《过来的时代：鲁迅论及其他》　雪峰/著

《电影戏剧表演术》　洪深/著

《日常心理漫谈》　［美］约瑟夫·查斯特罗著/曾宝施译

《心理常识漫话》　朱智贤　杨云美/著

《读书的方法与经验》　王任叔/著

《美国黑人生活纪实》　［美］加德维尔　斯坦倍克著/董秋斯译

《初访美国》　费孝通/著

《事业与成功》　［美］马尔腾著/汪原放译

《萍踪寄语（初集）》　韬奋/著

《一生的幸福前途——〈生活周刊〉信箱选集》　生活书店/编选

《深刻的印象》　生活周刊社/编

《海外的感受》　生活书店编译所/编